V'la la vie...
EN FAMILLE

VOLUME **4**

Miroir, miroir...
je n'aime pas
mon Corps!

Le développement
de l'image corporelle
chez les enfants,
les adolescents
et les adultes

Les Éditions
LA PRESSE

À Alexia, Cynthia, Virginie, Audrey et Daphné… pour leur courage!

À Laurence, Valérie, Mégane, Rosalie, Zoé et Émy…
Parce qu'elles sont toutes mes petites chéries!

Remerciements

La première personne que je tiens à remercier, c'est Sébastien, mon conjoint. Il me soutient durant mes nombreuses heures de travail. Il pourrait presque devenir lui-même psychologue à force de lire tout ce que j'écris et de m'entendre tous les jours parler de ma passion pour mon métier. Il ne cesse jamais de m'encourager et de me motiver dans mes moments de fatigue. Si je peux travailler autant à aider les parents, c'est grâce à lui!

Ma belle-fille Laurence, petit rayon de soleil que j'adore, me donne le goût d'être mère et m'apporte, bien au-delà de la théorie, une idée plus concrète des implications d'être parent ou beau-parent aujour-d'hui. Elle est la meilleure d'entre tous pour me convaincre de mettre le travail de côté un moment pour retrouver le plaisir de jouer!

Mon père est probablement la personne la plus fière de moi. Étant enseignant, il m'a transmis le goût de vulgariser et d'expliquer les choses de façon claire, simple et accessible. Il m'a également transmis sa façon imagée d'expliquer des choses parfois bien compliquées. Si je peux faire ce travail aujourd'hui, c'est parce qu'il m'a encouragée tout au long du parcours qui mène à la profession de psychologue.

Mes beaux-parents m'encouragent beaucoup et m'ont même aidée à trouver un titre pour cette collection!

Mes amis de longue date, qui se reconnaîtront, croient en moi, et m'ont toujours laissé travailler un peu plus que la moyenne sans rouspéter contre mes manques de disponibilité. Eux aussi parviennent presque aussi bien que Laurence à m'intéresser à d'autres sujets que la psycho…

Dominique, mon associée et agente qui me guide si bien dans ma nouvelle carrière de communicatrice et qui ne pouvait pas arriver plus à point dans ma vie!

Martin et Martine, les éditeurs qui ont cru en ce projet, m'ont guidée dans ce nouveau rôle d'auteure. Ils m'ont fait confiance et m'ont donné confiance…

Monsieur André Provencher m'a attentivement écoutée lorsque je lui décrivais avec enthousiasme mon projet de collection et m'a ouvert toutes grandes les portes des Éditions La Presse.

Mes professeurs et mes mentors, qui ont participé à ma formation en psychologie et m'ont aidée à devenir la psychologue que je suis maintenant : Claude, Raymond, Debbie, monsieur Guirguis, Françoys… il y a un peu de chacun d'eux dans tous les conseils que je vous donne à vous, les parents!

Toute l'équipe qui a travaillé à la production du documentaire *Mon corps dans ma tête* (diffusé sur les ondes de Canal Vie en septembre 2007)… ils ont contribué à m'aider à aider cinq adolescentes aux prises avec des problèmes d'image corporelle. Ces cinq mêmes adolescentes ont contribué à informer les téléspectateurs sur ce sujet fascinant et important qu'est l'image corporelle.

Enfin, les gens clé autour de l'émission *D^re Nadia, psychologue à domicile* - Jean-Carl, Pierre-Louis, Jano, Micheline, Monique, Nadine, Sylvio, Anouck, Caroline, Pierre, Jonathan, Martin, Guy, Jean-Jacques, Édouard, Paul, Nathalie, Véronique, Line et Line – qui m'ont tous appris un second métier, la communication. Ils ont su m'aider à surmonter mon manque d'expérience, mes incertitudes et mes doutes en me donnant confiance en moi. Faire cette émission m'a procuré un sentiment de crédibilité sans lequel je ne suis pas certaine que j'aurais osé m'embarquer dans cette grande aventure que représente la collection *Vive la vie… en famille*.

À tout ce beau monde… un grand *merci!*

Avant-propos

Faire l'amour et avoir un enfant, c'est très facile… C'est éduquer l'enfant tout en l'aimant de façon inconditionnelle qui représente un véritable défi. Pour certains, l'aventure ne comporte pas trop d'obstacles Pour d'autres, c'est une suite de moments positifs et de moments de crises… Même pour ceux qui ne rencontrent pas trop d'embûches, être parent aujourd'hui n'est pas facile. Ça donne parfois le vertige en plus de soulever quelques doutes sur soi et sur sa façon d'être.

Le contexte de la vie familiale a beaucoup changé. Les deux parents travaillent, les enfants vont à la garderie, les parents se séparent et les familles se reconstituent. L'évolution technologique génère une certaine anxiété de performance chez plusieurs d'entre nous, car nous devons tout faire plus vite. Elle soulève également des dilemmes et des questionnements par rapport à l'éducation de nos enfants : Internet, téléphone cellulaire, jeux vidéo…

Cette collection ne se veut pas un mode d'emploi de la réussite familiale… Cela ne pourra jamais exister, car tous les enfants et tous les parents sont différents. Cet outil n'a pas pour but de donner des réponses toutes faites, mais plutôt de fournir des pistes de réflexion et de vous donner une meilleure confiance en votre jugement de parent. Évidemment, les connaissances scientifiques en psychologie comportementale y seront mises à profit, car certaines techniques sont, selon moi, vraiment très efficaces! Mais, il y a toujours des exceptions à la règle… des familles pour qui les stratégies proposées ne fonctionneront pas à 100 %. Pour ces gens, des pistes de questionnement, de réflexion et des ressources supplémentaires seront proposées afin de répondre à leurs besoins particuliers.

Malgré toutes les années que j'ai passées à étudier la psychologie, je crois toujours que chaque parent est l'expert de SON enfant. Les psychologues, eux, connaissent bien les enfants en général, ce que la documentation scientifique nous apprend sur le développement de l'enfant et sur les différents troubles psychologiques qui peuvent affecter certains d'entre eux… mais chaque enfant est unique! La preuve, c'est qu'après plusieurs années à pratiquer la psychologie auprès d'une clientèle d'enfants et d'adolescents, ils m'étonnent toujours et je n'ai pas encore de sentiment de routine. Quand les psychologues tendent la main aux parents et que ces derniers sont ouverts et motivés à recevoir des informations sur le développement de l'enfant, c'est à ce moment que les petits miracles sont possibles!

Pourquoi une collection? Parce que rares sont les parents d'aujourd'hui qui ont le temps de lire une bible de 900 pages sur l'éducation des enfants. Mon but est de permettre à chaque parent d'aller chercher les outils qui le concernent le plus. Et puis, je me dois d'être honnête, cette formule me permet également de prendre le temps nécessaire pour me pencher sur chaque sujet en me demandant quelles informations aideraient VRAIMENT les parents!

Ma personnalité et la façon dont j'aborde naturellement les problèmes de la vie font en sorte que les livres de cette collection sont écrits sur un ton légèrement humoristique. Cette attitude permet de dédramatiser la détresse que peuvent vivre certains parents, sans pour autant la banaliser, puisque si je mets un tel effort à tenter d'aider les parents, c'est bien parce que je les prends au sérieux… De plus, le rire est un bon remède. Il permet de prendre un recul par rapport à notre situation et même parfois de mieux voir les solutions possibles. Il faut accepter que tout le monde fait des erreurs, y compris soi-même, et en rire, ça veut dire les reconnaître, les accepter et être prêt à se retrousser les manches pour les réparer.

Bonne lecture et surtout, aimez vos enfants!

Dre Nadia Gagnier,
Psychologue

Table des matières

CHAPITRE 1

Miroir, miroir… je n'aime pas mon corps!

Qui peut affirmer, sans mentir, s'être toujours senti satisfait en se regardant dans le miroir? Qui peut affirmer s'être toujours senti à l'aise en regardant des photos ou en visionnant des vidéos de soi? Bien chanceux sont ceux qui ont répondu « oui » à ces deux questions! En fait, la satisfaction par rapport à son image est un sentiment qui peut varier plusieurs fois au cours de la vie d'un individu. Elle peut même changer selon le moment de la journée.

Les problèmes d'image corporelle

Les adolescents sont particulièrement touchés par les problèmes d'image corporelle. Pas surprenant! Ils doivent s'adapter à un corps qui est en pleine transformation dans un moment de leur vie où être accepté par les pairs est si important.

Prenons l'exemple de Karine, 14 ans. Elle doit prendre l'autobus scolaire à 8 h 30. Il est 8 h 15 et elle n'a toujours pas choisi les vêtements qu'elle porterait aujourd'hui… et ce n'est pas parce qu'elle n'a pas essayé de faire ce choix! Elle a essayé une tonne de vêtements qu'elle a finalement décidé de ne pas porter. Elle essaie un autre ensemble, cette fois une jupe et un chandail multicolore. « J'ai l'air d'avoir les fesses de ma mère lorsque je porte cette jupe. La dernière fois que j'ai porté ce chandail, Olivier m'a demandé en riant si j'auditionnais pour la prochaine tournée du Cirque du Soleil. » Elle se demande si elle ne devrait pas simplement opter pour un jean et un t-shirt. « Ça aurait l'air ordinaire, mais au moins, je passerais inaperçue ». Les chiffres 8 h 20 apparaissent sur son réveille-matin et bien qu'elle soit vêtue, elle ne se sent toujours pas prête. C'est une journée humide et ses cheveux frisottent. Elle a l'impression qu'elle devra se battre avec le peigne pour arriver à un résultat satisfaisant. Elle opte pour la fameuse queue de cheval… toujours plus rapide que de sortir le fer plat! Soudainement, elle remarque qu'un nouveau petit bouton lui a poussé sur le nez. Horreur! « Et moi qui devais faire une présentation orale dans mon cours de français… tout le monde ne verra que cet énorme bouton au lieu d'écouter ce que j'ai à dire. »

Pendant que Karine arrive à la conclusion qu'aucun garçon ne s'intéressera à elle avant la fin du cégep, Alexandre, son frère de 15 ans, vit des angoisses similaires devant le miroir de la salle de bain. Il a un cours d'éducation physique aujourd'hui. Lors du dernier cours, le professeur a annoncé qu'ils joueraient au football pendant le prochain semestre. Or, Alexandre est le garçon le moins développé et le plus chétif de sa classe. Pendant que certains de ses camarades de classe doivent se raser tous les matins, lui a encore l'air d'un garçon de secondaire I. « Si seulement j'avais grandi d'un demi-mètre cette année… Je me demande si l'école possède un équipement de football assez petit pour moi. Peut-être que ça n'existe même pas! »

Dans la cuisine, maman lève les yeux au ciel en se demandant si elle sera obligée de reconduire ses deux ados à
l'école : « Karine, Alexandre… il est 8 h 25, votre autobus
sera au coin de la rue dans 5 minutes. Grouillez-vous! » En
attendant d'être certaine qu'ils n'auront pas besoin de ses
services de chauffeur de taxi, elle ouvre un magazine. Elle
y lit qu'une nouvelle crème antirides a été mise au point
et que boire quotidiennement des infusions de queues de
cerises déshydratées prévient la cellulite! Découragée, elle
se dit qu'elle devrait cacher le magazine avant que Karine
ne le découvre et qu'elle lui demande de planter un cerisier
dans la cour arrière!

Papa, qui est dans la voiture pour se rendre au bureau, écoute les nouvelles à la radio. Dans la chronique des potins de la semaine, on annonce qu'un ancien joueur de hockey s'est fait greffer des cheveux la semaine dernière. Il entend un extrait d'une entrevue que le joueur a accordée à un journaliste : « Je sais qu'il faut travailler sur l'acceptation de soi. Je suis un ancien joueur qui a accompli des exploits et qui a battu des records, mais je n'ai jamais bien vécu avec ma perte de cheveux. J'étais complexé et ça jouait sur mon humeur. Je recommande cette intervention à tous les hommes qui sont mal à l'aise avec leur calvitie. Ce traitement coûte cher, mais les résultats sont positifs, tant pour l'apparence que pour le bien-être psychologique. » En entendant cela, Sylvain se regarde le « coco » dans le rétroviseur de la voiture. L'air penaud, il se dit : « Bah! Je n'ai pas les moyens de me payer cette intervention et de plus, tous les gars au bureau riront de moi si je fais ça. De toute façon, Carole me trouve *sexy* avec ma tête de Bruce Willis! »

À peu près tout le monde a déjà vécu les sentiments d'au moins un des membres de cette famille. Les problèmes liés à l'image corporelle touchent des gens de tous les âges et ont parfois des conséquences négatives assez lourdes. Nous avons beaucoup entendu parler des troubles alimentaires tels que l'anorexie et la boulimie ces dernières années. Mais une personne n'a pas à souffrir de ces troubles extrêmes pour se sentir mal dans sa peau. Une personne qui est insatisfaite de son corps peut avoir une alimentation normale et avoir un bon niveau de fonctionnement au quotidien, mais ressentir énormément de détresse dans des situations sociales où elle peut se sentir observée, lors de relations sexuelles, lorsqu'on la prend en photo ou lorsqu'elle doit faire l'achat d'un maillot de bain. L'estime de soi est alors menacée. Si vous pensez qu'il s'agit d'un problème féminin… vous avez partiellement raison! Les études démontrent que ce sont surtout les femmes qui vivent des problèmes liés à une image corporelle négative. Mais d'autres études permettent d'observer que de plus en plus d'hommes vivent avec des complexes importants par rapport à leur apparence. Pourquoi semblent-ils moins présents dans les statistiques des chercheurs scientifiques? Leurs problèmes d'image corporelle seraient-ils moins intenses que ceux des femmes? Osent-ils moins s'exprimer sur le sujet, craignant de montrer ainsi un manque de virilité? Mystère… Mais tout indique que tout le monde, homme et femme, aurait intérêt à s'informer sur le sujet. En effet, l'image corporelle se développe doucement à partir de la petite enfance et peut évoluer tout au long de notre vie. Les parents ont donc un certain pouvoir de prévention sur l'image corporelle de leur enfant. Tel qu'il a été mentionné précédemment, l'adolescence est une période critique, étant donné les transformations importantes que subit le corps à la puberté. Et même si certains adultes réussissent à faire la paix avec leur corps, cette acceptation ne sera pas nécessairement permanente; nous vivons dans une ère où, bien que la population soit vieillissante, on accepte de moins en moins l'image d'un corps vieillissant. Les transformations du corps dues au vieillissement, bien qu'elles surviennent à un rythme beaucoup plus lent que celles de l'adolescence, ne sont pas nécessairement plus faciles à accepter.

Donc, apprendre comment l'image corporelle se développe et quel pouvoir nous avons sur elle peut être bénéfique pour tout le monde. Parce que notre corps est le moyen de transport de notre esprit pour toute la vie, mieux vaut apprendre à l'accepter, à le respecter et à profiter au maximum de toutes les expériences positives qu'il peut nous procurer : prendre une bouffée d'air frais, courir de toutes nos forces pour compter un but au soccer, faire un câlin à quelqu'un qu'on aime, manger un bon repas, s'étirer le matin, se faire masser…

Toutes ces sensations agréables sont possibles grâce à notre corps… or si nous passons notre temps à critiquer ce dernier, c'est un signe que nous n'apprécions pas pleinement tout ce qu'il peut nous apporter. La vie est si courte, ce serait dommage de passer à côté!

Dans le chapitre suivant, il sera question de la définition de l'image corporelle ainsi que de quelques statistiques sur les personnes qui souffrent de problèmes liés à celle-ci. Le chapitre 3 vous permettra ensuite de comprendre comment se développe l'image corporelle à partir de la plus tendre enfance jusqu'à l'âge adulte. Par la suite, le chapitre 4 aidera les parents à comprendre quel est leur pouvoir de prévention des problèmes d'image corporelle pour leurs enfants. Au chapitre 5, les différentes conséquences d'une image corporelle négative seront exposées. Il y sera question, entre autres, des troubles de l'alimentation. Afin que vous puissiez comprendre comment intervenir sur vos propres problèmes d'image corporelle, le chapitre 6 sera constitué d'un résumé d'une démarche proposée par un chercheur américain, Thomas Cash, reconnu internationalement pour ses travaux sur l'image corporelle. Ensuite, le chapitre 7 vous permettra de développer une relation positive avec votre corps. Enfin, ce livre se conclura sur une note positive et réaliste en résumant les différentes notions portant sur l'image corporelle.

Bonne lecture et je souhaite que ce livre vous aide à mieux vous sentir dans votre peau!

CHAPITRE 2

L'image corporelle, c'est quoi au juste? Ça concerne qui?

L'image corporelle n'est pas simple à définir. Pour vous donner une idée de sa complexité, si vous faites une petite recherche sur le sujet, vous vous trouverez devant toutes sortes de termes connexes tels que : la satisfaction de poids, l'exactitude de la perception de la taille, la satisfaction corporelle, la satisfaction de l'apparence, l'estime corporelle, le schème corporel... Ouf! Il y a de quoi en perdre notre latin!

Un concept multidimensionnel

En fait, l'image corporelle comporte plusieurs dimensions et c'est la raison pour laquelle elle est si difficile à définir simplement. Des exemples de ces différentes dimensions sont la satisfaction des parties du corps, les idéaux de beauté, les situations causant de la détresse (pensées et émotions négatives) par rapport à l'image, les pensées (positives ou négatives) reliées à l'image, l'évaluation générale de l'apparence, l'orientation vers l'apparence, l'évaluation de la santé et l'orientation vers la forme et la santé. Prenons le temps de comprendre ce que chacune de ces dimensions de l'image corporelle signifie.

La satisfaction des parties du corps

Une personne peut avoir de nombreuses petites sources d'insatisfaction sur son corps, tandis qu'une autre sera généralement satisfaite de son corps à l'exception d'une partie très précise qui lui causera énormément d'insatisfaction.

Par exemple, une personne qui est assez satisfaite de son visage ou de sa silhouette peut ne pas aimer la forme de ses pieds et de ses orteils. Ainsi, cette personne se sent la plupart du temps bien dans sa peau, mais ressent une détresse très intense dès qu'elle doit se déchausser devant d'autres personnes.

Les idéaux de beauté

Tout le monde peut se créer un idéal de beauté : rêver d'avoir une épaisse chevelure blonde, rêver d'avoir de puissants pectoraux et des abdominaux bien définis, rêver d'être de grande taille, rêver d'être plus allongé, rêver de lèvres plus charnues… Lorsqu'une personne rêve à des idéaux qu'elle ne peut atteindre, son image corporelle se détériore. Plus une personne considère ses idéaux de beauté comme étant importants, plus elle est affectée par le fait de ne pas les atteindre. À l'inverse, quelqu'un qui a des idéaux de beauté auxquels il accorde peu d'importance souffrira moins. Moi, par exemple : j'aurais souhaité être de grande taille, mais j'ai cessé de grandir à un jeune âge. Bah! Que voulez-vous? Ce n'est pas si important que ça!

Les situations causant de la détresse

Un individu qui a une image corporelle négative ressentira de la détresse dans de nombreuses situations. En fait, la vie quotidienne peut correspondre à traverser un champ de mines lorsqu'on n'aime pas son apparence! Entrer dans un endroit très éclairé, devoir sortir en vitesse de chez soi sans avoir eu le temps de se maquiller ou de se coiffer, être touché par quelqu'un (que ce soit une simple accolade ou une relation sexuelle), faire l'essai de maillots de bain ou de sous-vêtements dans une boutique, faire de l'exercice physique en public… la liste d'exemples peut être longue!

Les pensées reliées à l'image corporelle

Des pensées positives ou négatives par rapport à notre image corporelle peuvent souvent nous traverser l'esprit. Habituellement, les gens qui ont une image corporelle négative ont tendance à penser le pire de leur apparence et ces pensées leur viennent souvent en tête. Lorsqu'ils pensent à leur apparence, ils focalisent sur leurs défauts et sont convaincus que leurs autocritiques mentales sont vraies. Ces gens ruminent des pensées sur la façon dont les autres jugent leur apparence et ils croient qu'ils les jugent aussi sévèrement qu'eux-mêmes le font. Souvent, les pensées positives, pour ceux qui en ont, peuvent être suivies d'un « oui, mais… » Par exemple, Karine peut soudainement réaliser par un beau matin que sa chevelure est superbe, pour ensuite se dire : « Oui, mais ça ne me donne pas l'apparence d'avoir de plus petites fesses! » D'autres personnes auront des pensées positives par rapport à leur apparence de temps à autre, mais ces pensées seront immédiatement suivies d'un sentiment de culpabilité. En effet, bien des gens croient que seulement les personnes égocentriques et vaniteuses pensent du bien de leur apparence. Ainsi, ces gens discréditent leurs pensées positives par rapport à leur apparence en se disant : « Je ne devrais pas penser comme cela ».

L'évaluation générale de l'apparence

Il s'agit de la perception ou du jugement général d'un individu par rapport à son apparence. Chez certaines personnes, la perception de leur apparence en tant qu'un tout peut être biaisée par la façon dont elles perçoivent certaines parties de leur corps. Les personnes qui ont une image corporelle plus positive sont capables de ne pas laisser leurs insatisfactions précises influencer leur perception de leur apparence générale.

L'orientation vers l'apparence

Certaines personnes investissent beaucoup dans leur apparence, c'est-à-dire qu'elles considèrent leur apparence comme étant très importante comparativement aux autres qualités ou traits de personnalité qu'elles possèdent. Un peu de fierté et de coquetterie ne nuisent pas, certes. En fait, nous verrons dans un chapitre ultérieur que soigner son apparence et prendre soin de son corps est bon pour l'estime de soi et l'image corporelle. Mais il faut tenter de conserver un certain équilibre; certaines personnes investissent trop de temps, d'efforts et d'énergie sur leur apparence, comme si seule l'apparence pouvait définir leur perception d'elles-mêmes. À l'autre extrême, quelqu'un qui néglige son apparence n'a probablement pas une image corporelle plus positive. Il peut s'agir de personnes qui n'aiment tellement pas leur image, qu'elles l'ont en quelque sorte « abandonnée », comme si elles percevaient que chaque tentative pour tenter de rehausser leur apparence était vouée à l'échec.

L'évaluation de la santé

Plus on se sent en santé, plus notre image corporelle se porte bien. Pensez-y... Est-ce que vous vous sentez très séduisant lorsque vous avez une grosse grippe au mois de janvier? Ou encore lorsque vous arrivez à la maison le vendredi soir, complètement épuisé après une lourde semaine de travail?

Lorsque nous ne sommes pas en forme ou en santé, nous pouvons vivre des insatisfactions par rapport au fonctionnement du corps. Lorsqu'on se sent fatigué, tendu, ankylosé, courbaturé, on ne se sent pas vraiment *sexy*! Par contre, si quelqu'un se sent débordant de santé, il retire de la satisfaction du bon fonctionnement de son corps, ce qui influence positivement son image corporelle.

L'orientation vers la forme et la santé
Les gens qui sont orientés vers la forme et la santé sont des gens actifs qui font de l'exercice réguliè-rement. Ils font volontairement des choix santé par rapport à leur alimentation et ils adoptent un style de vie qui prévient la maladie et qui favorise la santé. Les gens qui s'orientent vers la santé ont de bonnes chances d'avoir une image corporelle et une estime de soi positives, car ils investissent dans leur corps pour autre chose que sa beauté. Ils font des efforts pour le bien-être que le corps peut leur apporter. Attention! Il est important de se demander si vous faites attention à votre santé purement pour la santé et le bien-être ou si vous le faites plutôt pour avoir une belle apparence (paraître mince, paraître en santé…). Chez certaines personnes, l'orientation vers la forme et la santé peut parfois être de l'orientation vers l'apparence déguisée!

Une définition générale

Si on voulait faire le résumé d'une définition très complexe, on pourrait dire que l'image corporelle est la relation personnelle qu'un individu entretient avec son corps et l'apparence de ce dernier. Cela repré-sente donc ses croyances, ses perceptions, ses pensées, ses émotions et ses comportements par rapport à son corps ou à l'image de son corps. L'image corporelle de quelqu'un peut donc être fort différente de son image réelle ou objective, telle qu'elle est perçue par les gens de son entourage, par exemple.

L'image corporelle d'une personne peut également être fort différente de son idéal de beauté, c'est-à-dire ce à quoi elle aimerait ressembler. Ainsi, Karine peut avoir une silhouette qui ressemble à la silhouette n° 3 dans l'illustration qui suit, tout en se percevant comme la silhouette n° 5 et souhaitant ressembler à la silhouette n° 1.

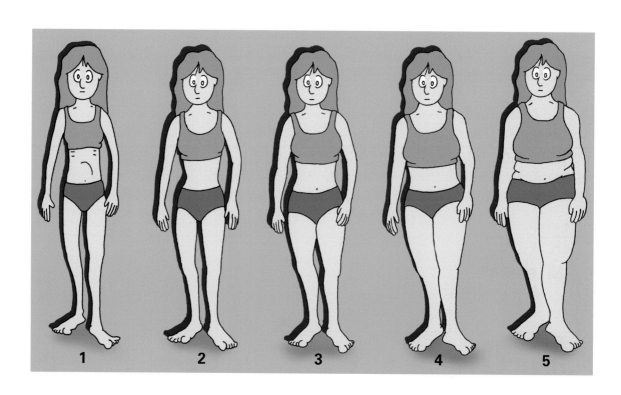

Son frère, Alexandre, peut avoir une silhouette qui ressemble à l'illustration n° 2, penser qu'il ressemble à la n° 1 et vouloir ressembler à la n° 3. Les erreurs de perception nous jouent parfois de bien vilains tours!

Ces exemples de silhouettes représentent les différentes perceptions qu'une personne peut avoir de sa taille et la détresse de bien des gens insatisfaits de leur taille. Mais, tel qu'il a été mentionné précédemment, l'image corporelle ne touche pas seulement la silhouette. Quelqu'un peut avoir des insatisfactions par rapport à des parties beaucoup plus précises du corps, telles que la texture des cheveux, la forme des mains, la longueur du nez, la forme des dents, le teint ou la texture de la peau, la forme des jambes…

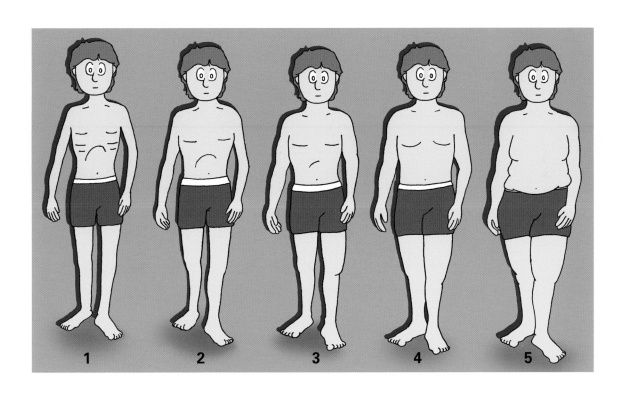

Qui souffre de problèmes d'image corporelle?

Tout le monde peut être touché par les problématiques d'image corporelle : les personnes de tous les âges, de tous les sexes et de toutes les cultures…, mais comme je l'ai déjà mentionné, les difficultés reliées à l'image corporelle semblent surtout toucher les femmes. Selon les études de Cash (2002), les femmes qui adoptent des attitudes correspondant aux stéréotypes féminins dans leurs relations avec les hommes sont plus investies dans leur apparence, elles ont intériorisé et intégré les normes sociales de la beauté et maintiennent des croyances négatives et malsaines par rapport à leur apparence. Attention! Cela ne veut pas nécessairement dire que les hommes sont à l'abri des problèmes d'image corporelle. En fait, plusieurs études démontrent que de plus en plus d'hommes peuvent souffrir de ces problèmes. Les statistiques les présentent toujours en nombre inférieur par rapport aux femmes, mais le taux d'hommes insatisfaits de leur image va en augmentant.

Ce qui est encore plus alarmant, c'est que les études scientifiques les plus récentes ont permis de découvrir que l'insatisfaction par rapport à l'apparence peut survenir à un très jeune âge. Des statistiques américaines, australiennes et anglaises démontrent qu'environ 40 % des filles et 25 % des garçons à l'école primaire sont insatisfaits de leur taille et désirent être plus minces (Smolak, 2002). Même certaines jeunes filles qui ont un poids sous la moyenne (selon les normes en fonction de l'âge) se disent inquiètent d'être trop grosses. Plus près de chez nous, une étude canadienne récemment effectuée indique que 60 % des filles en 7e et en 8e années (secondaire I et II) restreignent leur alimentation, et ce, même si elles ont un poids santé (McVey, Pepler, Davis, Flett & Abdolell, 2002). Des enfants aussi jeunes que 6 ans peuvent exprimer une insatisfaction par rapport à leur apparence et des inquiétudes quant à leur poids. De façon générale, les chercheurs scientifiques découvrent que les filles de quatrième année et plus expriment plus d'inquiétudes par rapport au poids et plus de désir d'être minces que les filles plus jeunes. Si bien que vers la fin du primaire, plus de 50 % des filles sont insatisfaites de leur poids et de la forme de leur corps, ce qui est comparable aux taux que l'on retrouve chez les adolescentes et les femmes d'âge adulte (Smolak, 2002).

Chez les garçons, la satisfaction du corps peut également diminuer au cours des années du primaire. Mais ce ne sont pas toutes les études qui font ressortir cette tendance. Après la puberté, les garçons peuvent atteindre un plateau ou même une augmentation de la satisfaction quant à leur corps, tandis que la satisfaction des filles continue à diminuer après la puberté. Cela suggère que la croissance et la puberté sont probablement vécues plus positivement par les garçons.

En fait, l'insatisfaction de certains garçons peut être due au fait d'être trop mince ou trop petit plutôt que trop gros ou trop développé. Il semble qu'il y ait beaucoup moins d'études sur le développement de l'image corporelle des garçons que sur celui des filles. De plus, dans les études sur les garçons, il n'est pas toujours possible d'identifier le sens de leur insatisfaction : voudraient-ils être plus grands, plus gros, plus minces, plus musclés (Smolak, 2002)? La lumière reste à faire sur leur état.

C'est donc parce que les problèmes liés à l'image corporelle négative touchent de plus en plus de gens, de plus en plus jeunes, qu'il est important de comprendre le développement de l'image corporelle chez les enfants afin de développer des stratégies de prévention. Justement, ça tombe bien… c'est le sujet du prochain chapitre!

CHAPITRE 3

Le développement de l'image corporelle

Les gens ne se réveillent pas du jour au lendemain en se mettant à croire que leur apparence est inadéquate… L'image corporelle se développe graduellement, à partir de l'enfance. Dans le chapitre précédent, vous avez pu constater que dès l'école primaire, les enfants peuvent vivre des insatisfactions par rapport à leur apparence. Dans le présent chapitre, vous apprendrez quels sont les facteurs qui influencent le développement de l'image corporelle et comment celle-ci évolue à travers les âges de la vie.

Les facteurs historiques

Certaines prédispositions pouvant affecter le développement de l'image corporelle sont présentes dès la conception et la naissance d'un enfant. Par la suite, les événements que vivra l'individu forgeront son image corporelle, tout comme ils forgeront le développement plus général de sa personnalité. Donc, pour un adolescent ou un adulte aux prises avec des problèmes d'image corporelle, ces facteurs représentent des éléments du passé qui ont influencé négativement sa satisfaction de son apparence.

Le tempérament, les prédispositions génétiques et les attributs physiques réels

Le tempérament est présent dès la naissance. Un enfant peut naître avec un tempérament facile, c'est-à-dire qu'il a une bonne capacité d'adaptation à son environnement, il fait facilement ses nuits, il accepte facilement les nouveaux aliments et il réagit bien à la nouveauté… Ce sont ceux que j'appelle les « Roger Bontemps »! Ce sont des enfants qui naissent « zen »; ils sont raisonnables. Ce sont les bébés qui pleurent rarement et qui sont portés à rire et à réagir positivement quand ils interagissent avec les autres.

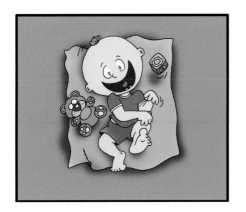

D'autres enfants naissent avec des tempéraments plus difficiles (pleurs fréquents, opposition, crises de colère fréquentes), lents (peu réactifs) ou inhibés (introvertis, anxieux, réagissent mal à la nouveauté). Ces tempéraments influencent le développement de la personnalité et augmentent les risques de troubles psychologiques tels que l'anxiété et la dépression. Attention! J'ai bien dit qu'ils augmentent les risques, je n'ai pas dit qu'ils les garantissent. Parents d'enfants au tempérament difficile, ne paniquez pas… vous avez un pouvoir de prévention! Or, comme une personne anxieuse peut plus facilement s'inquiéter de son apparence qu'une personne qui ne souffre pas d'anxiété, comme une personne dépressive est plus susceptible de dénigrer son apparence qu'une personne non dépressive, les tempéraments plus difficiles qui augmentent les risques de développement de troubles psychologiques augmentent par le fait même les chances qu'une personne développe des problèmes d'image corporelle.

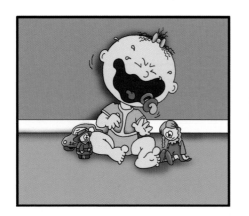

Les études scientifiques démontrent que lors-qu'un parent souffre d'anxiété ou de dépression, ses enfants courent plus de risques de souffrir des symptômes de ces troubles. Or, tel que mentionné précédemment, ces troubles sont parfois associés à une image corporelle négative.

Mais au-delà des facteurs psychologiques, la génétique influence également l'apparence physique d'un individu… Vous a-t-on déjà dit que vous ressembliez à votre mère, ou alors que vous étiez le portrait craché de votre père? Est-ce que, lors d'une rentrée scolaire, un professeur du primaire a déjà deviné votre nom de famille avant que vous le lui ayez annoncé, se basant sur votre grande ressemblance avec une sœur ou un frère aîné qui a déjà été dans sa classe? Nous héritons tous plus ou moins des traits physiques de nos parents biologiques, que cela nous plaise ou non! Puisque notre corps, tel qu'il est dans la réalité, influence évidemment la perception que nous en avons, il est facile de constater à quel point notre bagage génétique peut influencer notre image corporelle. Pensez à Karine qui remarque qu'elle a les fesses de sa mère!

Il ne faut pas oublier que nos attributs physiques subissent des changements importants à la puberté. Le rythme du développement de la puberté affecte les filles et les garçons de façon différente. En effet, chez les filles, la puberté signifie un gain de poids pouvant aller jusqu'à 25 kilos, dont 10 à 15 kilos seront des tissus adipeux – du gras – qui se déposeront sur les hanches, les cuisses, les fesses et la poitrine (Levine & Smolak 2002). Leur corps développe des courbes et des rondeurs et se prépare ainsi graduellement à séduire, à avoir des relations sexuelles et à concevoir des enfants… phénomène normal de la biologie. Or, ces transformations physiques éloignent les filles du modèle de corps qui est proposé dans les médias : un corps mince, voire prépubère, démuni de toute rondeur et surtout… sans gras! Il va sans dire que les changements liés à la puberté sont assez difficiles à vivre pour la plupart des jeunes filles.

La situation est différente du côté des garçons. Ils deviennent plus grands, leurs épaules s'élargissent et leur masse musculaire se développe. Avec la puberté, plusieurs garçons s'approchent de la forme corporelle masculine idéale, c'est-à-dire la forme athlétique. Cela peut même les avantager dans les sports! Pensez à Alexandre et ses cours de football!

Donc, l'âge auquel survient la puberté affecte aussi l'image corporelle : une puberté précoce risque de causer de la détresse chez une fille, tandis qu'elle risque d'augmenter l'estime corporelle d'un garçon. Inversement, une puberté tardive pourrait faciliter l'adaptation au corps d'une adolescente, tandis qu'elle désavantagera certains garçons.

La socialisation culturelle

La socialisation culturelle représente tous les messages que nous recevons de notre environnement qui nous informent et qui développent des croyances sur ce à quoi nous devrions ressembler.

Les médias

Les facteurs de socialisation culturelle dont nous entendons le plus souvent parler dans les médias sont... les médias eux-mêmes! En effet, les médias sont souvent blâmés pour envoyer des images irréalistes aux jeunes et à la population en général sur ce que représente la beauté. Pensez aux vedettes de cinéma et de la télévision, aux magazines, aux publicités... Nous sommes tous constamment exposés à une certaine image de la beauté et la plupart d'entre nous veulent, consciemment ou non, y ressembler... c'est la loi du conformisme! En fait, certains chercheurs prétendent que le niveau de concordance entre l'apparence d'un individu et les normes sociales d'attirance physique est central dans le développement de l'autoévaluation corporelle (Lerner & Jovanovic, 1990). Ainsi, certaines femmes auraient bien aimé grandir à l'époque où Marilyn Monroe faisait tourner toutes les têtes, alors que d'autres femmes auraient préféré vivre l'époque des Twiggy ou encore des Claudia Schiffer de ce monde! Car les modèles de beauté changent selon les époques et selon les cultures... À une époque, les femmes voulaient avoir des courbes et des rondeurs et les plus maigres étaient donc envieuses de la silhouette de Marilyn Monroe. Un peu plus tard, un mannequin très maigre surnommé Twiggy faisait la une de tous les magazines... Les femmes rondes développaient alors des complexes.

Chaque époque valorise une forme de corps et ceux dont le corps ne correspond pas à cette forme peuvent alors se sentir inadéquats. Des études démontrent que la moitié des filles, à la fin du primaire, lisent des magazines pour adolescentes. D'autres études démontrent que 25 % d'entre elles en lisent deux fois par semaine. Donc, très jeunes, elles intègrent les normes et les modèles de beauté et développent des idéaux par rapport à leur apparence (Smolak, 2002). D'autres études font ressortir le lien entre obtenir de l'information sur la beauté et le poids et l'image corporelle des filles de la fin du primaire et du secondaire. Il ne faut pas oublier que le marché de la beauté et de l'esthétisme du corps génère annuellement des milliards de dollars. Les publicités visant à augmenter les ventes de certains services ou produits censés améliorer l'apparence sont donc nombreuses. La plupart du temps, ces publicités laissent croire qu'en améliorant leur apparence, les gens seront automatiquement plus heureux. Les problèmes d'image corporelle des uns peuvent donc rapporter d'énormes profits aux autres.

Les jouets

Mais bien qu'ils aient un impact considérable, les médias ne sont pas les seuls facteurs de socialisation culturelle. Les jouets sont également des agents de socialisation non négligeables. Pensez à l'apparence de Barbie… Pensez ensuite au nombre de femmes qui se font teindre en blonde, qui subissent des augmentations mammaires et des liposuccions! Bon, d'accord, je n'ai pas vraiment trouvé de données scientifiques sur le lien entre le fait de jouer à la Barbie et les chirurgies esthétiques subséquentes… mais avouez qu'il est tentant de faire ce lien! En fait, de vraies données indiquent que 90 % des filles âgées de 3 à 11 ans possèdent une Barbie. D'autres indiquent que moins d'une femme sur 100 000 peut avoir des proportions similaires à celles de Barbie sans effort ou sans chirurgie (Smolak, 2002). La façon classique de jouer avec une Barbie est habituellement de la rendre belle à l'aide d'accessoires et de vêtements. De plus, elle a un amoureux, une Corvette, une autocaravane, elle est souriante… Elle est belle et, donc, elle est heureuse!

Les garçons non plus ne sont pas à l'abri de la socialisation culturelle par les jouets. Pensez à Ken, l'amoureux de Barbie, ou encore à G.I. Joe. En fait, le modèle de ces figurines a radicalement changé depuis leur apparition dans le passé, il y a plusieurs décennies. Au fil des ans, Ken et G. I. Joe sont devenus de plus en plus musclés et découpés, augmentant ainsi subtilement les efforts à faire pour leur ressembler (Corson & Andersen, 2002). Soyons francs… jouer à la Barbie n'est pas dangereux, et jamais je ne recommanderai aux parents de bannir ce jouet de leur maison. Mais ce genre de jouets fait en sorte que les enfants sont, à un très jeune âge, exposés à une image assez irréaliste de l'apparence. Même si vous empêchez vos enfants de jouer avec ce type de jouets, ils pourront le faire chez des amis, des cousins ou même à la garderie. Il est donc plus important de vous concentrer sur l'éducation que vous offrirez à vos enfants sur les façons d'interpréter ce qu'ils voient dans les médias et ce qu'ils perçoivent de leurs jouets. Il en sera d'ailleurs question dans le prochain chapitre.

Les parents

Justement, les parents eux-mêmes sont des facteurs de socialisation culturelle pour leurs enfants. Ils sont peut-être même les modèles les plus importants pour eux. Encore plus importants que les médias! Les commentaires que les parents font sur la beauté, sur l'apparence ou sur le corps idéal sont bien souvent entendus par les enfants, qui peuvent alors interpréter ces paroles comme des attentes envers eux-mêmes. Le papa qui s'entraîne pour devenir ou rester musclé et ainsi continuer de pouvoir séduire maman, la maman qui se critique devant le miroir et qui voudrait ressembler à l'actrice préférée de papa : ce sont des comportements que les enfants observent et qu'ils risquent d'imiter tôt ou tard. Nous avons parlé des médias précédemment... eh bien, la façon dont les parents interprètent ce qu'ils

perçoivent dans les médias risque également d'être imitée par les enfants! Si une mère tente à tout prix de ressembler aux filles qu'elle voit dans les magazines, sa fille risque d'en faire autant. Si par contre cette mère développe un regard critique par rapport aux images qui lui sont proposées et fait part de ses réflexions à sa fille, cette dernière pourra probablement mieux se raisonner lorsqu'elle lira elle-même des magazines montrant des modèles de beauté irréalistes. Si un parent investit beaucoup sur l'apparence plutôt que sur d'autres sphères de son estime de soi, l'enfant risque de miser beaucoup sur son apparence pour s'évaluer en tant que personne... C'est ce qu'on appelle l'apprentissage social ou l'apprentissage par l'exemple.

Les pères sont également responsables du développement de l'image corporelle de leurs filles grandissantes. En effet, la qualité de la relation entre un père et sa fille peut représenter une sorte de modèle qui influencera la qualité des futures relations amoureuses de cette dernière. Les perceptions et les commentaires du père sur le corps idéal d'une femme, ses attitudes envers le corps des femmes, ses réactions devant les changements du corps de sa fille à la puberté et ses commentaires sur son niveau de maturité auront certainement un impact sur le développement de l'image corporelle de la fille (Kearney-Cooke, 2002).

Les pairs

Finalement, les pairs aussi envoient des messages aux enfants par rapport à ce qui est acceptable ou non comme apparence. Ils peuvent même influencer les comportements de contrôle de l'apparence. En fait, il semble que les filles soient plus sensibles à l'influence des pairs que les garçons. Imaginez que Karine circule dans les corridors de l'école. Elle croise un groupe de filles qui discutent entre elles en critiquant l'apparence d'une de leur camarade de classe, qui a de trop grosses fesses, selon elles. Quel message percevra Karine? Elle se mettra probablement à croire que dans la vie, pour être heureuse, il faut avoir des amies... pour avoir des amies, il faut éviter d'être critiquée... pour éviter d'être critiquée, il ne faut pas avoir de grosses fesses! Et elle qui vient tout juste de réaliser qu'elle commence à avoir les mêmes fesses que sa mère... devinez un peu comment elle se sent!

Les pairs peuvent également partager sur les façons de contrôler l'apparence (les régimes, les exercices...) et sur les préjugés par rapport aux personnes de différentes apparences (les grosses personnes sont paresseuses, les personnes qui font de l'acné ont le visage qui ressemble à une pizza...). Le simple fait d'entendre ces commentaires, même s'ils ne sont pas dirigés contre soi, est sans contredit un facteur de socialisation culturelle par rapport à l'image et surtout... un facteur de pression (Levine & Smolak, 2002)!

Les expériences de la vie

Parmi les facteurs historiques influençant le développement de l'image corporelle, il y a évidemment les diverses expériences qu'un individu a pu vivre dans son passé.

Premièrement, la qualité des relations familiales a un impact considérable sur l'estime de soi en général. Une famille où les parents tentent de viser un juste équilibre entre l'encadrement et les manifestations d'affection envers leurs enfants favorise le développement de l'estime de soi et le sentiment de valoir quelque chose comme individu. Puisque l'estime de soi agit un peu comme un bouclier protecteur contre les impacts psychologiques des adversités de la vie, elle peut également protéger contre les problèmes liés à l'image corporelle.

Deuxièmement, un enfant vivra de nombreuses expériences avec ses pairs. Le fait d'avoir un bon groupe d'amis et de se sentir appuyé par eux est considéré comme un levier pour l'estime de soi. Inversement, l'intimidation et le rejet par les pairs peuvent avoir des effets dévastateurs sur l'estime de soi et l'image corporelle.

Troisièmement, la présence de facteurs de stress dans la vie d'un individu peut augmenter sa tendance à avoir des pensées négatives. Par le fait même, le stress peut amener quelqu'un à se dévaloriser tant sur le plan de ses qualités personnelles que sur le plan de son apparence.

Enfin, certains événements de la vie peuvent transformer le corps et ainsi avoir un impact sur l'image corporelle d'une personne, comme les accidents laissant des cicatrices ou causant la perte de membres, les maladies telles que le cancer, les problèmes de la peau, les brûlures graves, les grossesses et le vieillissement en général. Cela veut dire que même si vous lisez ce livre jusqu'à la fin et que vous intégrez bien les différents conseils pour favoriser une image corporelle positive, vous devrez constamment appliquer ces conseils au cours des âges de la vie. Même si vous arrivez un jour à accepter votre apparence actuelle, cela ne veut pas dire que vous n'éprouverez pas de difficulté à apprivoiser votre corps de demain… surtout que nous évoluons présentement à une époque où vieillir est à proscrire!

Résumé des facteurs historiques

Ouf! Nous avons maintenant fait le tour des facteurs historiques du développement de l'image corporelle. Voici un tableau résumant l'ensemble de ces facteurs.

Les facteurs historiques

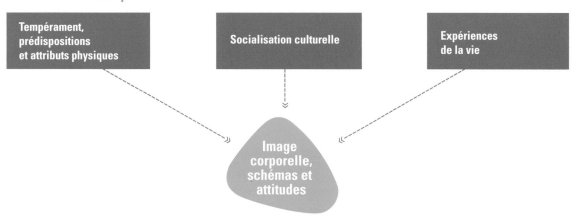

Si vous prêtez une attention particulière à l'élément qui se trouve au centre du diagramme, celui qui est influencé par tous les facteurs historiques, vous remarquerez qu'il n'y a pas seulement l'image corporelle. Il y a également les schémas et les attitudes. En fait, le contenu schématique d'un individu est composé de ses attitudes implicites, de ses croyances et de ses théories naïves. Plus simplement, les schémas d'un individu seront les lunettes qui influenceront sa perception des situations du quotidien et, du même coup, ses discours intérieurs, ses émotions et ses comportements. Ainsi, les schémas liés à l'image corporelle d'un individu reflètent ses croyances sur l'importance de l'apparence (Cash, 1997). À titre d'exemple, une de ces croyances pourrait être : « Les gens attirants ont toutes les possibilités ».

Même si cette croyance semble exagérée à première vue, elle n'est pas à 100 % fausse. Malheureusement, certaines études font ressortir les impacts réels de l'apparence physique. En fait, il semble que les personnes correspondant objectivement aux normes de beauté valorisées dans la société soient **vraiment** favorisées. C'est-à-dire que certains stéréotypes se sont développés autour des personnes de belle apparence : les gens auront tendance à croire que les belles personnes ont plus de compétences professionnelles (chez les adultes) ou scolaires (chez les enfants), qu'elles sont plus sociables et mieux adaptées que les personnes moins attirantes. Les gens de belle apparence sont donc réellement favorisés, car ils ont tendance à être mieux traités par leur entourage. En effet, certaines études démontrent que les beaux enfants vivent moins d'expériences négatives, plus d'expériences positives et reçoivent plus d'attention et de soins que les enfants moins attirants. Chez les adultes, les personnes attirantes reçoivent plus d'attention, plus d'interactions positives, d'aide et de collaboration de la part des autres, comparativement aux adultes moins attirants (Jackson, 2002). Être traité de façon aussi favorable peut rendre la vie plus facile… Les beaux enfants sont évalués comme étant plus populaires, ayant de meilleures capacités d'adaptation, manifestant plus d'intelligence et de compétence que les enfants moins beaux. Les adultes attirants vivent plus de succès dans leur milieu de travail, sont plus populaires et vivent plus d'expériences amoureuses et sexuelles. Les chercheurs croient que ce n'est pas le simple fait d'être beau qui crée toutes ces qualités chez ces gens, c'est plutôt le fait d'être traité plus favorablement par les autres qui pourrait rendre les belles personnes plus confiantes, plus audacieuses, plus extraverties, ce qui leur permet d'exprimer le meilleur d'eux-mêmes. Ce n'est pas la beauté qui rend les belles personnes meilleures, mais plutôt leurs expériences de la vie découlant de leur beauté (Jackson, 2002).

Attention! Cela ne veut pas dire que les belles personnes ne vivent jamais de problèmes et cela ne veut pas dire qu'elles ont nécessairement une image corporelle positive. Les études font simplement ressortir qu'elles sont parfois mieux traitées que les personnes moins attirantes. Pensez-y… À compétences égales, deux personnes – une très belle, l'autre moins – qui postulent à un poste dans une compagnie n'auront pas nécessairement les mêmes chances. L'une des deux sera probablement favorisée par rapport à l'autre… Devinez laquelle!

Les facteurs actuels

Si vous avez présentement une image corporelle négative, ce que vous venez de lire jusqu'à maintenant vous a permis de comprendre comment vos difficultés se sont développées. Il est possible que vous vous disiez « compte tenu de mon passé, je suis condamné à vivre avec une image corporelle négative jusqu'à la fin de mes jours ». Mais ce n'est pas le cas! Vous avez un pouvoir sur les facteurs ACTUELS influençant votre image corporelle. Vous n'avez pas vraiment de pouvoir sur l'histoire du passé, mais AUJOURD'HUI représente en fait l'histoire de demain… et vous avez un pouvoir sur cette histoire.

Les facteurs actuels représentent les pensées, les émotions et les comportements liés à l'image corporelle. Lorsqu'une personne vit une situation qui l'oblige à faire face à son image corporelle (ex. : recevoir une invitation pour un *beach party*), la perception de la situation est influencée par les schémas, ce qui provoquera des pensées automatiques et des discours intérieurs négatifs (ex. : tout le monde verra ma cellulite, tout le monde me jugera négativement…). À leur tour, ces pensées amèneront des émotions négatives (ex. : gêne, honte) qui influenceront les comportements de l'individu (ex. : porter une serviette autour de la taille, dire qu'on a oublié le maillot, ne pas aller à la fête…).

Pour mieux comprendre comment interagissent les facteurs historiques, l'image corporelle et les facteurs actuels, voici un deuxième diagramme.

Le développement de l'image corporelle

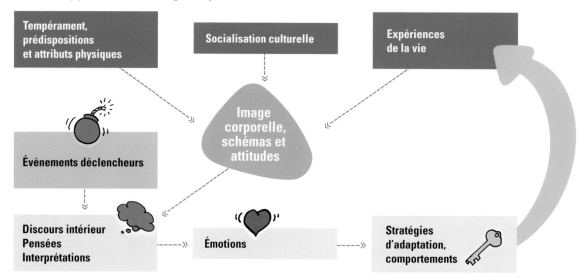

Si vous êtes attentif en observant le diagramme, vous pourrez observer qu'il comporte un cercle vicieux (un autre!). En effet, les comportements d'un individu influencent ses expériences de la vie… Par exemple, si la personne qui a été invitée à la fête choisit de ne pas y aller, elle vivra une expérience d'isolement et de solitude. Cette expérience viendra renforcer ses schémas ou ses croyances reliés à l'image corporelle : « il faut être beau pour être heureux, comme je ne suis pas beau, je suis seul ce soir et je m'ennuie… Voilà la preuve que je suis laid et non désirable ». Le renforcement des schémas ou des croyances négatives sur l'image corporelle perpétuera le déclenchement de nouveaux discours intérieurs négatifs, d'émotions négatives et de comportements négatifs lors de situations ultérieures confrontant l'image corporelle… C'est une roue qui tourne.

Heureusement, le chapitre 4 vous permettra de comprendre comment prévenir l'impact des facteurs historiques chez les enfants et le chapitre 6 vous permettra d'améliorer votre propre image corporelle en agissant sur les facteurs actuels.

CHAPITRE 4

La prévention : dès la plus tendre enfance

Si vous m'avez bien suivie jusqu'à présent, vous savez maintenant que l'image corporelle se développe dès la plus tendre enfance et que les parents agissent en tant que facteurs de socialisation. En tant que parent, vous êtes donc responsable d'une partie du développement de l'image corporelle de vos enfants. Il ne faut surtout pas voir vos responsabilités de parent comme une pression ou comme une raison pour vous culpabiliser. Au contraire, il faut voir cette responsabilité comme un pouvoir de prévention, comme un pouvoir d'action. Des parents parfaits, ça n'existe pas! Par contre, il existe des parents juste assez bons. Puisque vous êtes suffisamment soucieux du bien-être de vos enfants pour avoir lu ce livre jusqu'ici, cela veut dire que vous êtes un parent… juste assez bon et qui veut en savoir plus!

La petite enfance

Durant les premiers mois de sa vie, un bébé est dans la période sensorimotrice. Cela veut dire qu'il apprend et qu'il interagit par les sens et par le mouvement (motricité). C'est l'âge où goûter, sentir, voir, toucher et entendre deviennent des actions très importantes. Dès cet âge, les parents peuvent utiliser leur pouvoir de prévention en stimulant les sens de leur enfant. Le bercer, le masser, jouer dans l'eau, lui parler, lui chanter des chansons, lui faire des bisous et des câlins sont des exemples d'actions qui permettent à l'enfant d'apprendre, par les sens et dès le plus jeune âge, que le corps peut être source de plaisir et de confort, ce qui est déjà un bon début pour se sentir bien dans sa peau!

D'ailleurs, les manifestations physiques d'affection et d'amour inconditionnel, ainsi que le fait de répondre aux besoins primaires du petit bébé sont les premières actions que les parents peuvent faire pour favoriser le développement de l'estime de soi de leur enfant. L'enfant développe ainsi un sentiment de sécurité et un sentiment d'être important pour ses parents. Ces sentiments seront ses premières armes pour affronter la vie et ses obstacles avec confiance.

La moyenne enfance

Ensuite, lorsque les enfants sont un peu plus vieux (vers l'âge de 4 ou 5 ans), les parents peuvent exercer leur pouvoir de prévention en tentant de favoriser le développement de la force et des habiletés physiques à l'aide d'activités sportives comme le soccer, la danse, les arts martiaux, le patin, le vélo, le ski… Lorsque les enfants apprennent à maîtriser leur corps et à relever des défis par leurs capacités physiques, ils développent un sentiment de compétence corporelle. Bien que ce sentiment soit un peu différent d'une image corporelle positive, il permet tout de même à l'enfant de retirer une satisfaction de son corps.

Une autre façon de favoriser le développement d'une image corporelle positive à cet âge, c'est d'apprendre aux enfants à respecter cette merveille que représente leur corps. Un bon début est de leur apprendre à porter attention à leurs sensations physiques telles que la faim, la satiété (ne plus avoir faim), la fatigue, le repos, la respiration, le battement de leur cœur… Une fois que les enfants connaissent bien leurs différentes sensations physiques, les parents peuvent leur apprendre comment réagir à chacune d'entre elles afin de mieux respecter les besoins de leur corps : manger quand on a faim, cesser de manger lorsque l'on atteint la satiété, se reposer lorsqu'on est fatigué… Cet apprentissage favorise le développement de la conscience corporelle, ce qui est essentiel à un mode de vie sain. Si vous voulez mon avis, plusieurs adultes auraient également besoin de faire cet apprentissage! Avec la vie stressante que l'on mène dans la société d'aujourd'hui, je ne suis pas certaine que tout le monde écoute son corps! Si les parents apprennent eux-mêmes à écouter leur corps et à le respecter, leurs enfants apprendront également à le faire. Les techniques de respiration et de relaxation peuvent favoriser le développement de la conscience corporelle, même chez les adultes. Deux de ces techniques seront expliquées au chapitre 6.

Les parents doivent également valoriser le respect d'autrui dans la famille et ne pas tolérer les attitudes intimidantes ou les moqueries par rapport à l'apparence physique. Plusieurs adolescents et adultes qui ont des problèmes liés à une image corporelle négative ont été victimes de moqueries durant l'enfance… Les blessures sont souvent profondes. Évidemment, les parents ne peuvent pas contrôler les moqueries dont l'enfant pourrait être victime à l'extérieur de la maison (garderie ou école), mais s'ils s'assurent que leur enfant est respecté à la maison par les différents membres de la famille, c'est déjà un bon début. S'il est respecté chez lui, l'enfant apprend qu'il est une personne respectable et il prend ainsi confiance en lui, ce qui peut faciliter son affirmation de soi si un jour on se moque de lui à l'école. Cette forme de prévention n'est toutefois pas magique : bien qu'ils aient été respectés dans leur foyer, certains enfants resteront démunis par rapport aux moqueries et à l'intimidation qu'ils pourraient subir à l'école. Dans pareil cas, les parents peuvent encourager leur enfant à s'affirmer et à se valoriser par ses qualités. Les parents peuvent même l'aider à développer son affirmation de soi et sa capacité à se défendre en faisant des jeux de rôles ou des mises en situation avec lui afin qu'il s'entraîne à répondre adéquatement aux insultes et aux moqueries qu'il subit à l'école.

Un autre facteur sur lequel les parents ont peu de contrôle : les images irréalistes auxquelles les enfants sont exposés par l'entremise des médias (publicité, télévision, cinéma, magazine) et des jouets (Barbie, G. I. Joe). Par contre, ils ont un certain pouvoir sur la façon dont leurs enfants recevront ces images et y réagiront. En effet, les parents peuvent favoriser le développement d'un regard critique chez leurs enfants par rapport aux images proposées dans l'environnement.

Comment développer ce regard critique? En apprenant aux enfants à quel point l'image des personnes qu'ils voient au petit ou au grand écran est transformée par le maquillage, l'éclairage et divers programmes informatiques (ex. : Photoshop).

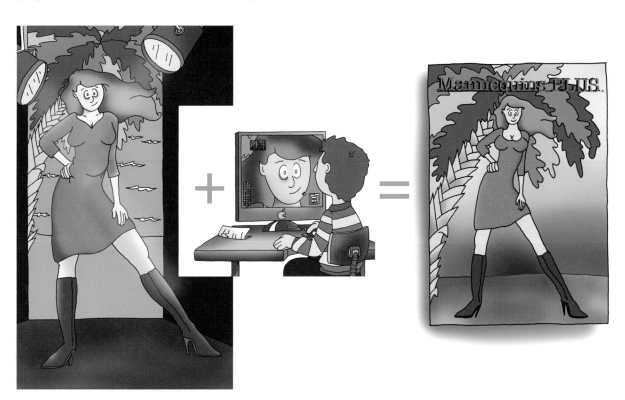

Pour rendre cet apprentissage amusant, vous pouvez amener vos enfants dans un endroit public (par exemple, un parc ou une terrasse) en apportant un magazine. Vous pouvez regarder ensemble les photos du magazine et vous amuser à compter les passants qui y ressemblent vraiment et ceux qui n'y ressemblent pas. Certaines émissions télévisées sont enregistrées devant un public. Si vous avez l'occasion de faire vivre cette expérience à votre enfant, cela lui permettra de réaliser à quel point les vedettes de la télévision sont transformées par le maquillage et la coiffure effectués par des professionnels. Vous pouvez également expliquer à vos enfants que les grandes vedettes internationales ont souvent à leur service un chef, un nutritionniste, un entraîneur privé, un styliste, un coiffeur, un maquilleur... et qu'être beau fait partie des exigences de leur métier. Expliquez-leur également que leurs vedettes préférées ne disposent pas d'autant de temps pour jouer et s'amuser qu'eux, car ils doivent investir beaucoup de temps et d'efforts dans leur image et leur apparence. S'ils négligeaient un tant soit peu leur image, ils pourraient perdre leur travail... Enfin, si vous possédez un appareil photo numérique, il peut être facile de montrer à vos enfants comment on peut retoucher une photo pour qu'elle soit parfaite. Ils comprendront ainsi à quel point les personnes qu'ils voient dans les magazines sont en fait... des personnages virtuels!

La préadolescence et l'adolescence

Lorsque les enfants sont sur le point de vivre les changements associés à la puberté, la prévention devient encore plus importante. Leur corps s'apprête à subir des transformations importantes qui peuvent les rendre mal dans leur peau. Ils peuvent éprouver des difficultés à s'adapter à ces changements. La première étape consiste donc à s'assurer que l'enfant apprenne ce qu'est la puberté et les changements qu'elle implique. Vous pouvez tout simplement discuter de la puberté avec votre enfant, ou encore lui procurer des livres qui expliquent ces changements. Certains enfants pourraient avoir tendance à vouloir questionner un autre adulte de leur entourage plutôt que leurs parents sur ce sujet... Il ne faut surtout pas s'en offusquer. Les enfants peuvent éprouver une gêne à parler de ces choses avec leurs parents ou encore anticiper des réactions émotives de leur part, et ainsi préférer se confier sur des sujets délicats à d'autres adultes de confiance dans leur entourage : un parrain, une grand-mère, une ancienne gardienne devenue adulte... L'important, c'est qu'ils s'attendent à ces changements au lieu de les vivre dans l'ignorance et d'en être surpris.

Vous pouvez expliquer à vos enfants comment vous avez vous-même vécu ces changements lorsque vous aviez leur âge. Vous normalisez ainsi la situation aux yeux de l'enfant et surtout, vous la dédramatisez. Les enfants admirent souvent leurs parents et le fait de savoir que leurs parents sont passés par la puberté et qu'ils s'en sont bien sortis peut être très rassurant pour eux. Évidemment, puisque les adolescents s'identifient plus facilement au parent de même sexe qu'eux, il est préférable que le père fasse cet exercice avec son fils et que la mère fasse cet exercice avec sa fille.

Lorsque vous sentez que vos enfants arrivent à l'âge des premiers amours et des premières expériences de séduction, il est important de leur conseiller de faire de temps à autre des sorties « juste entre filles » ou « juste entre garçons ». Le but n'est surtout pas de les protéger d'une éventuelle peine d'amour… cela risque d'arriver tôt ou tard de toute façon! Le but est plutôt de créer une petite pause de la pression de plaire et de séduire leurs pairs du sexe opposé. Cela crée des situations où l'apparence prend moins d'importance et durant lesquelles ils peuvent se concentrer sur le plaisir d'être jeunes et insouciants! S'ils acceptent de suivre ce conseil, faites un petit retour sur la situation après coup afin de leur permettre d'identifier en quoi ces sorties étaient différentes et bienfaisantes. Un conseil des parents devient bien plus crédible si les enfants en découvrent par eux-mêmes le sens plutôt que de tenter de les convaincre que papa ou maman a toujours raison parce qu'il ou elle a plus d'expérience!

Au secondaire, plusieurs adolescents peuvent se rendre compte que leurs pairs jugent souvent les autres selon leur apparence. Certains peuvent même se regrouper en fonction du style vestimentaire. Vous pouvez alors les rassurer en leur disant que ce comportement est typique de l'adolescence et diminue de façon générale après le secondaire. Ils seront réconfortés d'apprendre que plusieurs jeunes adultes développent la capacité et l'intérêt de se faire une opinion sur un individu au-delà de l'apparence physique.

La prévention à appliquer en tout temps

Les parents sont les premiers modèles de leurs enfants; si vous travaillez vous-même sur votre image corporelle et arrivez à accepter et à assumer votre corps, vous deviendrez un modèle sain pour eux. En effet, les parents qui arrivent à déterminer quel poids et quelle allure sont réalistes pour eux-mêmes en considérant leur ossature, leur bagage génétique et leur âge peuvent devenir de bons modèles d'acceptation de soi pour leurs enfants. Les parents qui développent un mode de vie sain pour la santé et non pour l'apparence développeront chez leurs enfants une alimentation saine et l'habitude de faire de l'exercice physique sans pour autant favoriser l'obsession de la minceur, parce que la santé et le plaisir, c'est bien plus important qu'une image!

En ce qui concerne l'estime de soi d'un individu, elle se construit selon plusieurs facteurs. Plus ces facteurs sont diversifiés, moins une baisse dans un de ces facteurs affectera l'estime de soi globale. À l'inverse, plus l'estime de soi d'un individu dépend de son image corporelle, plus une image corporelle négative affectera son estime de soi.

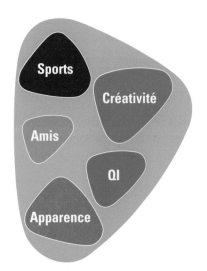

Diversifier les cibles d'investissement

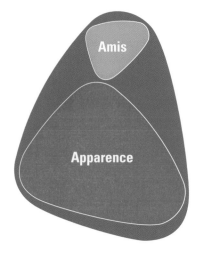

Trop d'investissement dans l'apparence

Donc, comme un bon investisseur, il ne faut pas mettre tous nos œufs dans le même panier! Plus on diversifie nos investissements dans différents facteurs de notre estime de soi, moins on risque de vivre une baisse générale de notre estime de soi. Si on investit seulement dans un ou deux facteurs de notre estime de soi tels que l'image corporelle, une baisse d'un de ces facteurs affectera plus lourdement notre estime de soi. Les parents ont donc intérêt à tenter de favoriser le développement de plusieurs facteurs de l'estime de soi chez leur enfant, de sorte que celle-ci ne repose pas uniquement sur l'image corporelle. Plus les enfants apprendront à se valoriser par d'autres facteurs que l'apparence, moins leur estime de soi risquera d'être grandement affectée par d'éventuels complexes physiques. Il ne s'agit pas de cesser de dire à vos enfants qu'ils sont beaux, bien au contraire… En fait, la plupart des parents trouvent que leurs enfants sont beaux! Vous pouvez donc les complimenter à volonté! Mais il ne faut pas seulement leur dire qu'ils sont beaux. Il faut tenter de les aider à identifier leurs forces, leurs talents et leurs habiletés : les sports, la musique, les arts visuels, le talent scolaire, les aptitudes sociales, l'expression verbale, la logique, la mémoire, la capacité d'imagination… Les enfants ont besoin que l'on multiplie les occasions de valorisation et d'actualisation de leurs talents et de leurs compétences. Ainsi, l'apparence pourra prendre une importance seconde, une plus petite place dans la construction de l'estime de soi.

CHAPITRE 5

Les impacts d'une image corporelle négative

Quels sont les différents problèmes liés à une image corporelle négative? Jusqu'à maintenant, nous avons appris ce qu'est l'image corporelle, comment elle se développe et comment prévenir les problèmes qui y sont liés. Mais que risque-t-on si l'image corporelle se développe négativement, si aucune prévention n'est faite? Quels troubles psychologiques peuvent se développer en conséquence à des complexes physiques importants?

Rassurez-vous! Ce chapitre ne vise pas à faire de vous un psychologue ou un psychiatre pouvant diagnostiquer des troubles liés à l'image corporelle. L'objectif est que vous soyez bien informé sur les risques d'une image corporelle négative. Certains problèmes psychologiques plus graves seront décrits avec leurs principaux symptômes, tels que listés dans le DSM-IV[1]. Vous pourrez ainsi en reconnaître les symptômes chez les membres de votre entourage ou vous-même.

ATTENTION : Ne vous improvisez pas psychologue ou psychiatre, simplement parce que vous avez pris connaissance des signes qui pourraient indiquer la présence de ces troubles chez quelqu'un de votre entourage. Seuls les spécialistes de la santé mentale peuvent faire une évaluation complète et seuls les médecins peuvent légalement établir un diagnostic. L'évaluation des troubles psychologiques est une chose très complexe, car elle nécessite la collecte de nombreuses données sur la personne et sa famille. De plus, plusieurs troubles ont des points en commun, ce qui fait en sorte qu'il est parfois difficile de les distinguer les uns des autres.

---

1 Le DSM-IV, le *Diagnostic and Statistical Manual of Mental Disorders, Fourth Edition*, est la bible des professionnels de la santé mentale. Il s'agit du répertoire de toutes les maladies mentales et de leurs symptômes. C'est l'outil qu'utilisent les médecins et les psychiatres pour établir un diagnostic.

En fait, les conséquences d'une image corporelle négative peuvent devenir assez graves avec le temps. Premièrement, comme je l'ai déjà mentionné, l'estime de soi est fortement liée à l'image corporelle. Donc, plusieurs personnes qui ont développé une image corporelle négative peuvent en venir à souffrir d'une importante baisse d'estime de soi. En effet, des études démontrent que l'équivalent du quart ou parfois même du tiers de l'estime de soi d'un individu est lié à son image corporelle. Cela peut vouloir dire, en quelque sorte, que si vous n'aimez pas votre corps, vous risquez de ne pas aimer la personne qui se trouve à l'intérieur : vous! Tel qu'il a été mentionné dans le chapitre sur la prévention, l'idéal est de diversifier vos sources d'estime de soi, afin que votre estime de soi ne repose pas uniquement sur votre image corporelle. Sachez que l'estime de soi permet de mieux affronter les obstacles que la vie met sur notre chemin, elle permet de mieux s'adapter aux changements et à l'adversité. Quelqu'un qui a une faible estime de soi risque de réagir plus négativement, voire de développer des problèmes de santé mentale ou des troubles d'adaptation..

Deuxièmement, les gens qui ont des problèmes d'image corporelle peuvent parfois manifester des difficultés du côté de l'identité de genre. L'identité de genre correspond au fait de se sentir « femme » chez une femme et au fait de se sentir « homme » chez un homme. Certaines personnes qui ont une image corporelle négative croient qu'elles n'ont pas les attributs physiques nécessaires pour se sentir suffisamment féminines (ou masculines). Cela peut causer une détresse significative et amener les gens à sentir que leur apparence est inadéquate.

Troisièmement, les personnes qui ont une image corporelle négative peuvent manifester des symptômes d'anxiété. En effet, si une personne n'arrive pas à accepter son apparence, il est fort possible qu'elle croie que les autres n'aimeront pas plus son apparence. Conséquemment, lors de situations sociales, cette personne peut devenir hyperconsciente de son image, de son discours et de ses mouvements et se sentir inadéquate. La personne sera alors introvertie, repliée sur elle-même et fera tout pour ne pas être remarquée. Elle pourra même se mettre à éviter certaines situations sociales et s'isoler par peur du jugement des autres sur son apparence ou, pire encore, par peur d'être rejetée. Ces comportements s'apparentent aux symptômes de la phobie sociale (voir le chapitre 5 du volume 2 de la collection, *Maman j'ai peur, chéri je m'inquiète*). Ironiquement, plus une personne s'isole socialement, plus elle passe à côté d'occasions d'avoir du plaisir et de se faire des amis, ce qui pourrait lui donner confiance en elle et l'aider à cheminer. L'évitement social contribue donc à maintenir l'anxiété sociale et les problèmes d'image corporelle. En effet, en évitant les situations sociales, une personne peut finir par se permettre de négliger son apparence, ce qui maintient la perception négative de son image… Tout un cercle vicieux!

Quatrièmement, les problèmes d'image corporelle peuvent amener des problèmes d'ordre sexuel. Si une personne croit que son corps nu est laid et insatisfaisant, le fait de l'exposer à une autre personne peut créer une grande anxiété. Le simple fait d'anticiper ou d'imaginer la relation sexuelle peut créer un malaise. Alors, la personne pourra se mettre à éviter les relations sexuelles. Elle pourrait même se mettre à éviter certaines formes de caresses ou de câlins qui la rendraient consciente de la forme de son corps. Si une personne qui n'aime pas son corps fait l'effort de tenter de surmonter son malaise en ayant tout de même des relations sexuelles avec son partenaire, l'expérience sexuelle risque d'être insatisfaisante. En effet, les sexologues savent qu'une des causes des difficultés à profiter pleinement du plaisir sexuel est le *spectatoring*, c'est-à-dire la tendance à être hyperconscient de son corps durant les relations sexuelles plutôt que de se laisser plonger dans la sensualité de l'expérience (Cash, 1997). Ainsi, la personne rumine des inquiétudes sur son apparence tout en se concentrant sur des strata-gèmes pour cacher son corps au regard du partenaire. Faire l'amour n'a donc plus rien de sensuel et de romantique. Cela devient plutôt une action d'anticipation négative et d'évitement. Les différents comportements d'évitement peuvent être de vouloir conserver des vêtements sur soi, de vouloir absolument être sous les couvertures, d'être dans la plus totale obscurité, d'éviter les miroirs, d'éviter certaines positions… Cela peut même aller jusqu'à carrément éviter les relations sexuelles. Inutile de spécifier que ces comportements d'évitement peuvent amener des difficultés dans un couple. Eh oui! les problèmes d'image corporelle peuvent même faire intrusion dans la vie amoureuse d'une personne. J'imagine que vous commencez à comprendre à quel point l'image corporelle peut être envahissante pour certaines personnes, surtout lorsqu'elle est négative.

Cinquièmement, les problèmes d'image corporelle peuvent amener des sentiments dépressifs (ex. : tristesse, perte d'intérêt, dévalorisation, culpabilité, isolement…). En fait, le lien entre la dépression et l'image corporelle est à double sens : la dépression amène les gens à détester leur apparence et une image corporelle négative peut entraîner des sentiments dépressifs. L'autodénigrement, les pensées de désespoir et d'impuissance par rapport à l'apparence peuvent rendre dépressif. Ce découragement peut amener les gens à critiquer leur corps. Encore un cercle vicieux!

Enfin, il est impossible de parler d'image corporelle sans aborder le sujet des troubles alimentaires. Il s'agit de troubles psychologiques complexes qui se caractérisent par une préoccupation pour l'image corporelle, une peur intense de prendre du poids et des habitudes alimentaires anormales. Lorsqu'ils ne sont pas traités, ces troubles peuvent avoir de graves conséquences psychologiques (anxiété et dépression), physiques (déshydratation, aménorrhée – interruption des menstruations –, irritation du système digestif) et sociales (isolement). Ils peuvent même parfois, dans des cas extrêmes, causer la mort. Souvent, ces troubles se développent graduellement, avec le temps. Lorsque le poids est la principale source d'insatisfaction d'un individu, ce dernier peut commencer à faire des régimes ou à s'entraîner avec excès. Des études scientifiques démontrent que les régimes draconiens peuvent causer ce que l'on appelle les rages alimentaires (épisodes d'ingestion compulsive d'aliments) qui à leur tour peuvent provoquer des compulsions à se purger. Avoir une image corporelle négative de type « phobie des kilos » peut donc amener sournoisement quelqu'un à développer les symptômes d'un trouble alimentaire, et avoir un trouble alimentaire détériorera davantage l'image corporelle de la personne.

Les troubles alimentaires

L'anorexie nerveuse

Une personne souffrant d'anorexie refuse de tenter de maintenir un poids à la limite inférieure de la normalité. Elle a peur de prendre du poids et elle manifeste des distorsions importantes dans la perception de la forme de son corps et de sa silhouette, c'est-à-dire qu'elle se perçoit beaucoup plus grosse qu'elle ne l'est en réalité. Chez les jeunes filles qui ont eu leurs premières menstruations, l'anorexie peut causer l'interruption des menstruations (aménorrhée), comme si le corps décidait par lui-même qu'il n'était pas en bonne condition pour la reproduction. L'estime de soi des personnes souffrant d'anorexie est grandement dépendante du poids et de la forme du corps. Souvent, les jeunes femmes souffrant d'anorexie perçoivent la perte de poids comme un succès, une forme extraordinaire d'autodiscipline et comme un contrôle de soi. Ces personnes ont tendance à nier les conséquences dangereuses de leur sous-alimentation. Il est important de savoir qu'environ 90 % des personnes souffrant de ce trouble sont des filles ou des femmes. Le nombre de garçons ou d'hommes souffrant d'anorexie est en augmentation, mais demeure toujours très inférieur à celui des femmes.

Les symptômes de l'anorexie sont les suivants :

- un refus de maintenir un poids minimalement normal. La personne perdra du poids jusqu'à un niveau correspondant à moins de 85 % de son poids normal (considérant son âge et sa taille). Chez les individus qui n'ont pas terminé leur développement physique, ce symptôme se traduira par le fait de ne pas gagner le poids ou de ne pas avoir la croissance normale pour son âge et sa taille (moins de 85 % de la croissance normale);
- une peur de prendre du poids ou de devenir gros, même si la personne est déjà sous son poids normal;
- une distorsion de la perception de son corps;.
- une trop grande influence du poids et de la silhouette dans l'évaluation de soi ou un déni de la gravité des conséquences du poids anormalement faible;
- une interruption d'au moins trois cycles menstruels consécutifs;

- certaines personnes souffrant d'anorexie ont seulement des symptômes restrictifs, c'est-à-dire qu'elles ne feront que se sous-alimenter. Les autres auront des symptômes de type rages alimentaires/purge, c'est-à-dire qu'elles alterneront entre des comportements alimentaires excessifs (ingérer compulsivement toutes sortes d'aliments, y compris ceux à haute teneur en calories) et des comportements visant à se purger (ex. : se faire vomir, utilisation abusive de laxatifs ou de diurétiques) ou à brûler rapidement les calories consommées.

La boulimie

Les caractéristiques principales de la boulimie sont les rages alimentaires ainsi que les comportements compensatoires pour prévenir le gain de poids (par exemple, se faire vomir). Ces comportements peuvent survenir jusqu'à deux fois par semaine ou même plus. Les personnes qui souffrent de boulimie, comme celles qui souffrent d'anorexie, ont tendance à accorder une importance exagérée à leur poids et à leur silhouette dans leur évaluation de soi. Une rage alimentaire est un épisode de deux heures ou moins durant lequel l'individu ingurgitera une quantité anormalement grande d'aliments. Les types d'aliments consommés peuvent être variés, mais les gens souffrant de boulimie ont généralement tendance à manger des aliments à haute teneur en calories durant ces rages (gâteau, crème glacée, chocolat, croustilles…). Habituellement, les gens souffrant de ce trouble ont honte et tentent de cacher leurs symptômes. Les rages alimentaires peuvent survenir après un événement stressant ou à la suite d'une émotion négative et sont habituellement suivies d'un sentiment dépressif et de dévalorisation. Lorsque la personne se fait vomir, il en résulte un soulagement de l'inconfort physique relié à la trop grande quantité d'aliments consommés et une réduction de la peur de prendre du poids. Les personnes peuvent finir par être capables de se faire vomir très facilement, voire à volonté. Les autres comportements compensatoires possibles sont l'utilisation de laxatifs ou de diurétiques, l'entraînement physique excessif et l'utilisation de certaines substances visant à contrôler le poids (ex. : hormones, stimulants…). Comme pour l'anorexie, on évalue que les gens souffrant de boulimie sont à 90 % des femmes et à 10 % des hommes.

Les symptômes de la boulimie sont les suivants :

- la personne a des épisodes récurrents de rages alimentaires. Ces rages alimentaires correspondent au fait de consommer une quantité anormalement grande d'aliments sur une période de moins de deux heures. Elles sont accompagnées d'un sentiment de perte de contrôle sur l'alimentation;
- la personne utilise des méthodes compensatoires inappropriées pour prévenir le gain de poids, telles que se faire vomir, utiliser des laxatifs, des diurétiques, des lavements, jeûner ou faire de l'exercice excessif;
- l'évaluation de soi est exagérément influencée par le poids et la silhouette de la personne;
- certaines personnes souffrant de boulimie n'hésitent pas à se purger par des méthodes telles que se faire vomir ou utiliser des laxatifs, alors que d'autres n'utiliseront que le fait de jeûner ou de faire de l'exercice excessif pour prévenir le gain de poids.

L'hyperphagie boulimique

L'hyperphagie boulimique est une boulimie sans comportements compensatoires, c'est-à-dire que la personne aura les mêmes épisodes de rages alimentaires et le même sentiment de perte de contrôle sur son alimentation qu'une personne boulimique, mais elle n'utilisera aucun comportement compensatoire visant à prévenir le gain de poids.

Les rages alimentaires des personnes hyperphagiques peuvent être caractérisées par :

- le fait de manger plus rapidement que la normale;
- le fait de manger jusqu'à une sensation d'inconfort;
- le fait de manger de grandes quantités d'aliments sans avoir préalablement ressenti physiquement la faim;
- le fait de manger seul à cause de l'embarras et de la honte associés à la quantité de nourriture consommée;
- le fait d'être dégoûté de soi, d'être déprimé ou de se sentir très coupable après une rage alimentaire.

Le trouble de dysmorphie

Le trouble de dysmorphie n'entre pas dans la catégorie des troubles alimentaires, mais correspond tout de même à de grandes distorsions de l'image corporelle. Les personnes qui souffrent de ce trouble sont extrêmement préoccupées par un défaut de leur apparence. Le défaut peut être imaginaire ou si une petite anormalité est présente dans l'apparence, l'inquiétude ou la détresse de l'individu sont très excessives. Les défauts imaginés ou exagérés dans la perception de l'individu peuvent souvent être des parties du visage ou de la tête (cheveux, acné, rides, cicatrices, rougeurs, asymétrie du visage ou mauvaises proportions, forme du nez, des yeux, des sourcils, des oreilles, de la bouche, des dents, du menton, etc.). Les défauts peuvent également être sur certaines parties du corps (tronc, bras, jambes, hanches, abdomen, fesses, seins, parties génitales…).

Ce trouble peut amener l'individu à vérifier fréquemment ou excessivement son apparence dans les miroirs, au point où plusieurs heures de la journée seront perdues à effectuer différents rituels de vérification. Chez certains autres individus, faire sa toilette impliquera des techniques savantes de camouflage des défauts imaginés, qui pourront elles aussi prendre plusieurs heures. La personne peut demander fréquemment aux gens de son entourage de la rassurer sur son apparence. L'évitement de certaines activités créera de l'isolement social extrême et des difficultés à fonctionner normalement. Certaines personnes pourraient même abandonner leurs études ou leur emploi tellement leur détresse sera grande. Certains auront même des idées ou des comportements suicidaires. Plusieurs individus tenteront de modifier leur apparence par le recours à de multiples chirurgies esthétiques. Malgré ces tentatives, les gens seront toujours insatisfaits de leur apparence à cause de ce trouble et risquent de s'engager dans plusieurs chirurgies qui, en fait, ne feront qu'augmenter leurs insatisfactions et leur sentiment d'échec.

Et les hommes?

Comme nous l'avons déjà mentionné, il ne faut pas oublier que de plus en plus d'hommes ressentent la pression de ressembler aux modèles de beauté proposés par la société. Certains peuvent tomber dans le piège des troubles alimentaires, tandis que d'autres tenteront de contrôler leur apparence par des méthodes draconiennes telles que l'entraînement excessif, le contrôle alimentaire, la consommation de suppléments alimentaires à haute teneur en protéines et, dans les cas les plus extrêmes, la consommation de stéroïdes anabolisants.

Changer le corps… ou faire une démarche psychologique pour mieux l'accepter?

Les personnes qui souffrent des conséquences d'une image corporelle négative ont plusieurs choix qui s'offrent à elles. Évidemment, les solutions qui semblent les plus instantanées sont celles qui impliquent un changement du corps, un changement visant l'élimination du défaut du corps causant le complexe. Pour arriver à leurs fins, certains tenteront de changer leurs habitudes alimentaires ou leurs habitudes d'exercices physiques et d'autres opteront plutôt pour la chirurgie esthétique. Pour certaines personnes, ces solutions s'avéreront efficaces. Elles leur permettront de s'approcher de leur idéal de beauté et ainsi d'éliminer la détresse associée aux insatisfactions. La personne pourra ainsi s'épanouir en cessant ses comportements d'évitement et en cessant de s'isoler socialement.

Par contre, d'autres personnes s'engageront dans un cycle sans fin de régimes, d'exercices et d'échecs, ce qui ne fera que les plonger davantage dans la détresse associée à l'image corporelle. Une suite d'échecs dans les différentes tentatives d'atteindre un idéal de beauté peut avoir un impact négatif significatif sur l'estime de soi de l'individu. Non seulement se sentira-t-il laid, mais il se sentira également incapable d'atteindre son objectif. Des sentiments d'impuissance et de culpabilité s'ajouteront alors à l'insatisfaction corporelle, et l'individu poursuivra ou aggravera les différents comportements d'évitement initiaux.

Les personnes qui décident de subir une chirurgie esthétique sans avoir d'abord fait une démarche psychologique pour mieux s'accepter risquent d'investir de grosses sommes d'argent pour finir avec la même insatisfaction – peut-être moins intense –, mais tout de même présente… surtout si l'insatisfaction initiale était due à une distorsion de l'image corporelle plutôt qu'à un défaut réel de l'apparence.

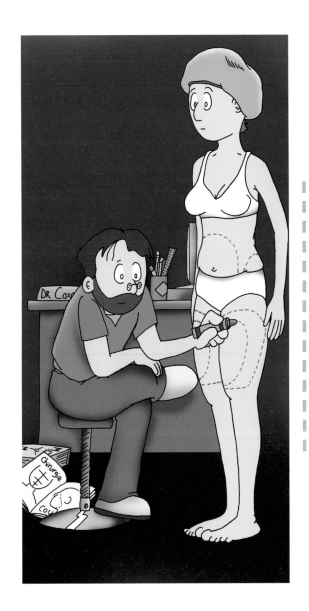

Depuis les années 1990, la recherche sur l'image corporelle a énormément progressé et a permis aux chercheurs et aux psychologues de mettre sur pied des programmes de thérapie visant le développement d'une image corporelle positive. Il est souvent recommandé aux gens insatisfaits de leur apparence de commencer par une telle démarche psychologique avant d'amorcer des démarches de changements importants du corps. Ainsi, avant de procéder à un changement des habitudes alimentaires, à un régime draconien ou à une chirurgie esthétique, il vaudrait mieux faire une démarche pour tenter de mieux accepter son corps tel qu'il est. Après une telle démarche, les insatisfactions et les facteurs les ayant causées risquent de diminuer sous le seuil du désir de changement radical. Si certaines insatisfactions demeurent, la personne pourra alors s'orienter vers les démarches de changement du corps, en se concentrant seulement sur les insatisfactions restantes. Ainsi, elle fera un choix beaucoup plus éclairé et s'orientera vers ces solutions pour les bonnes raisons (de véritables complexes) et non par simple recherche de facilité. Un travail sur l'image corporelle peut même parfois augmenter les chances de réussite d'une tentative de remise en forme par une meilleure alimentation et un programme sain d'exercices physiques. En effet, en diminuant ses complexes et en cessant de focaliser sur son apparence, la personne peut plus facilement se concentrer sur une amélioration de sa santé, ce qui amène des améliorations plus durables de son mode de vie. En étant mieux dans sa peau, une personne sera également plus à l'aise de faire du sport ou d'aller dans un centre de conditionnement physique, activités qui peuvent parfois être évitées par les personnes souffrant d'une image corporelle négative.

Le prochain chapitre décrira les démarches que vous et les membres de votre famille pouvez faire afin d'améliorer votre image corporelle. Ces démarches sont saines et peuvent être appliquées par tout le monde, même ceux qui n'ont pas de grands complexes! Elles visent une réconciliation avec la merveilleuse machine qu'est notre corps qui, en passant, est également le moyen de transport de notre esprit pour toute la vie. Il est grand temps de faire la paix avec votre corps… et avec le miroir!

CHAPITRE 6

Comment réagir devant les problèmes liés à une image corporelle négative?

La démarche proposée dans le présent chapitre permettra aux adolescents et aux adultes vivant des insatisfactions par rapport à leur apparence de se réconcilier avec leur corps. Cette démarche est un résumé (traduit et adapté) de la méthode proposée par le chercheur américain Thomas F. Cash, Ph. D. (1997). Ce dernier est une sommité internationale en matière d'image corporelle et il a développé un programme en huit étapes pour améliorer l'image corporelle (*The Body Image Workbook : An 8-Step Program for Learning to Like Your Looks*). Cette méthode est directement reliée au modèle du développement de l'image corporelle tel qu'expliqué au chapitre 3, en ce sens qu'elle vise un travail sur les pensées et les comportements qui maintiennent une image corporelle négative.

Afin que vous sachiez à l'avance ce que cette démarche représente, voici un résumé des différentes étapes qu'elle comporte.

- **Connaissance de l'image corporelle et de soi** : Cette section comporte des tests, cinq petits questionnaires, qui vous permettront d'autoévaluer votre profil d'image corporelle. Vous n'êtes pas obligé de faire cette étape pour bien travailler sur votre image corporelle. Mais établir votre profil vous aidera à prendre conscience de vos difficultés spécifiques et à vous fixer des objectifs réalistes.

- **Se concentrer sur ce que l'on contrôle vraiment** : Cette courte section vous convaincra que vous pouvez agir sur votre image corporelle, que vous en êtes en quelque sorte responsable.

- **Apprendre à respirer, à relaxer et à affronter le miroir** : Afin de développer une image corporelle positive, vous devez apprendre à affronter le miroir graduellement, sans vous sentir stressé. Pour ce faire, cette section vous apprendra une technique de respiration et une technique de relaxation musculaire. Ces stratégies deviendront également utiles lorsque viendra le temps de vous exposer à ce que vous évitez habituellement à cause de votre image corporelle (section Travailler ses comportements… éviter l'évitement).

- **Cesser de les prendre les croyances pour des vérités absolues et les remettre en question** : Souvenez-vous que les facteurs historiques du développement de l'image corporelle vous ont amené toutes sortes de croyances fausses ou exagérées sur l'importance de l'apparence. Ces croyances sont les lunettes à travers lesquelles vous percevez votre corps et les situations vous obligeant à affronter votre apparence. Cette section vous permettra d'apprendre comment les remettre en question afin de voir la vie à travers des lunettes mieux ajustées!

- **Développer un nouveau discours intérieur par rapport aux situations difficiles, travailler sur les pensées et les distorsions cognitives** : Déjà, en ayant remis en question vos croyances, vous devriez arriver à avoir un discours intérieur moins négatif lorsque vous vivez des situations où vous devez faire face à votre apparence. Cette section vous aidera à avoir un contrôle encore plus grand sur vos pensées.

- **Travailler ses comportements… éviter l'évitement** : Votre image corporelle négative vous a amené à développer toutes sortes de comportements d'évitement ou d'isolement qui, ironiquement, maintiennent votre image corporelle à son plus bas niveau. En ayant déjà appris à relaxer, à remettre en question vos croyances et vos pensées, vous serez maintenant, à l'aide de cette section, en mesure d'éviter d'éviter!

Bonne démarche!

Connaissance de l'image corporelle et de soi

Si vous vous êtes rendu jusqu'à ce point dans le présent livre, vous avez déjà fait un bon bout de chemin dans le développement de votre connaissance de l'image corporelle! Par contre, avant de travailler sur votre image corporelle, il est important de bien déterminer votre profil d'image corporelle. Les cinq petits tests qui suivent visent à évaluer les différentes dimensions de votre image corporelle. Les résultats vous aideront à mieux comprendre quels sont vos besoins et à identifier quelles seront les cibles d'intervention précises et réalistes que vous pourrez atteindre grâce à la démarche proposée dans le chapitre.

Cinq petits tests pour mieux se connaître :

- le test de satisfaction des différentes parties du corps;
- le test des vœux d'apparence;
- le test des situations causant de la détresse
- le test des pensées liées à l'image corporelle
- le test sur la relation « corps/soi »

Le test de satisfaction des différentes parties du corps

Ce test évalue votre niveau de satisfaction ou d'insatisfaction par rapport à plusieurs parties de votre corps. Si certaines parties de votre corps dont vous êtes insatisfait n'apparaissent pas dans cette liste (ex. : vos dents ou une cicatrice), indiquez-les aux lignes 9 et 10 pour ensuite indiquer votre niveau d'insatisfaction par rapport à ces parties.

Quel est votre niveau de satisfaction ou d'insatisfaction pour chacune des parties suivantes de votre corps? (Encerclez le chiffre)

		Très insatisfait	Assez insatisfait	Ni satisfait, ni insatisfait	Assez satisfait	Très satisfait
1	Le visage (caractéristiques du visage, peau)	1	2	3	4	5
2	Les cheveux (couleur, épaisseur, texture)	1	2	3	4	5
3	Sous le torse (fesses, hanches, cuisses, jambes)	1	2	3	4	5
4	Milieu du torse (taille, ventre)	1	2	3	4	5
5	Haut du torse (poitrine, seins, épaules, bras)	1	2	3	4	5
6	Tonus musculaire	1	2	3	4	5
7	Poids	1	2	3	4	5
8	Taille (grandeur)	1	2	3	4	5
9	Autres parties ou caractéristiques insatisfaisantes :	1	2	3	4	5
10	Autres parties ou caractéristiques insatisfaisantes :	1	2	3	4	5

Total : additionnez les scores pour les items 1 à 8 = _____

Reportez le total dans le profil à la page 74.

Le test des vœux d'apparence

Ce test évalue votre perception de votre corps tel qu'il est ET votre corps tel que vous le souhaiteriez. Chaque énoncé décrit une caractéristique physique. Pour chacune de ces caractéristiques, réfléchissez à la façon dont vous vous percevez présentement. Ensuite, pensez à comment vous souhaiteriez paraître. Dans certains cas, votre apparence peut être très près de votre idéal de beauté. Dans d'autres cas, votre apparence et votre idéal peuvent être très différents.

Certains de vos idéaux physiques peuvent être très importants pour vous. Vous désirez fortement paraître d'une certaine façon, que vous le soyez ou non. Pour certaines autres caractéristiques, vos idéaux peuvent être moins importants pour vous.

Pour chaque énoncé,

A) indiquez à quel point vous paraissez tel que vous le souhaiteriez.

Ensuite,

B) indiquez à quel point votre idéal de beauté est important pour cette partie de votre corps.

		A Ressemblance à mon idéal				B Importance de mon idéal				A x B
		Exactement comme je suis	Presque comme je suis	Assez différent de ce que je suis	Très différent de ce que je suis	Pas important	Un peu important	Assez importnt	Très important	
1	Ma taille idéale est	0	1	2	3	0	1	2	3	
2	Ma peau (teint) idéale est	0	1	2	3	0	1	2	3	
3	Ma couleur de cheveux idéale est	0	1	2	3	0	1	2	3	
4	Ma texture de cheveux idéale est	0	1	2	3	0	1	2	3	
5	Mon visage (yeux, nez, oreilles, forme du visage) idéal est	0	1	2	3	0	1	2	3	
6	Mon tonus musculaire est (découpage du corps)	0	1	2	3	0	1	2	3	
7	Les proportions idéales de mon corps sont	0	1	2	3	0	1	2	3	
8	Mon poids idéal est	0	1	2	3	0	1	2	3	
9	Ma force physique idéale est	0	1	2	3	0	1	2	3	
10	Ma coordination physique idéale est	0	1	2	3	0	1	2	3	
									Total =	

Pour chaque caractéristique, multipliez le résultat de la partie A par le résultat de la partie B et reportez le produit dans la marge. Additionnez tous les produits pour les items 1 à 10. Reportez le total dans le profil à la page 74.

Le test des situations causant de la détresse

Les émotions négatives reliées à l'image corporelle telles que l'anxiété, le dégoût, le découragement, la colère, l'envie, la honte ou l'embarras, surgissent dans différentes situations selon les personnes. Pour ce test, vous devez indiquer à quelle fréquence vous avez ressenti des émotions négatives à propos de votre apparence pour 50 situations. Évidemment, vous trouverez certaines situations que vous n'avez jamais eu à affronter ou des situations que vous avez toujours cherché à éviter. Pour ces situations, tentez d'estimer à quel point vous auriez eu des émotions négatives si vous y aviez été exposé.

À quelle fréquence avez-vous ressenti des émotions négatives à propos de votre apparence dans chacune des situations suivantes?

		Jamais	Quelquefois	Assez souvent	Très souvent	Toujours ou presque toujours
1	Dans les réunions sociales où je ne connais que quelques personnes.	0	1	2	3	4
2	Lorsque je suis le centre de l'attention sociale.	0	1	2	3	4
3	Lorsque les gens me voient avant que je me sois fais belle ou beau.	0	1	2	3	4
4	Lorsque je suis en présence de personnes attirantes, du même sexe que moi.	0	1	2	3	4
5	Lorsque je suis en présence de personnes attirantes, du sexe opposé.	0	1	2	3	4
6	Lorsque quelqu'un regarde des parties de mon corps ou de mon apparence que je n'aime pas.	0	1	2	3	4
7	Lorsque des gens me regardent d'un certain angle.	0	1	2	3	4
8	Lorsque quelqu'un me complimente sur mon apparence.	0	1	2	3	4
9	Lorsque j'ai l'impression que quelqu'un m'ignore ou me rejette.	0	1	2	3	4
10	Quand le sujet d'une conversation tourne autour de l'apparence physique.	0	1	2	3	4
11	Lorsque quelqu'un me fait un commentaire négatif sur mon apparence.	0	1	2	3	4
12	Lorsque quelqu'un reçoit un compliment sur son apparence alors qu'aucun commentaire n'est exprimé sur mon apparence.	0	1	2	3	4
13	Lorsque j'entends quelqu'un critiquer l'apparence d'une autre personne.	0	1	2	3	4
14	Lorsque je me souviens de plaisanteries ou de commentaires blessants que certaines personnes ont faits par rapport à mon apparence.	0	1	2	3	4
15	Lorsque je suis avec des gens qui parlent de poids ou de régimes.	0	1	2	3	4
16	Lorsque je vois des personnes attirantes à la télévision ou dans les magazines.	0	1	2	3	4
17	Lorsque je fais l'essai de nouveaux vêtements dans une boutique.	0	1	2	3	4
18	Lorsque je porte des vêtements révélateurs (ex. : « chandail bedaine »).	0	1	2	3	4
19	Lorsque je suis vêtu d'un style différent des autres lors d'un événement social.	0	1	2	3	4
20	Lorsque je sens que mes vêtements ne me vont pas.	0	1	2	3	4

		Jamais	Quelquefois	Assez souvent	Très souvent	Toujours ou presque toujours
21	Après un changement de coupe de cheveux ou de mise en plis.	0	1	2	3	4
22	Lorsque je ne suis pas maquillée.	0	1	2	3	4
23	Lorsque je suis mal coiffée, coiffé.	0	1	2	3	4
24	Lorsque mes amis ou mon conjoint ne remarquent pas que je me suis faite belle, fait beau.	0	1	2	3	4
25	Lorsque je me regarde dans le miroir.	0	1	2	3	4
26	Lorsque je regarde mon corps nu dans un miroir.	0	1	2	3	4
27	Lorsque je vois une photo ou un vidéo de moi.	0	1	2	3	4
28	Lorsque quelqu'un me prend en photo.	0	1	2	3	4
29	Lorsque je ne me suis pas autant entraînée, entraîné, qu'à l'habitude.	0	1	2	3	4
30	Lorsque je m'entraîne.	0	1	2	3	4
31	Après avoir mangé un repas complet.	0	1	2	3	4
32	Lorsque je monte sur un pèse-personne pour mesurer mon poids.	0	1	2	3	4
33	Lorsque je pense avoir pris du poids.	0	1	2	3	4
34	Lorsque je pense avoir perdu du poids.	0	1	2	3	4
35	Lorsque je suis déjà de mauvaise humeur à propos de quelque chose d'autre que mon apparence.	0	1	2	3	4
36	Lorsque je pense à l'apparence que j'avais plus tôt dans ma vie.	0	1	2	3	4
37	Lorsque je pense à ce dont je souhaiterais avoir l'air.	0	1	2	3	4
38	Lorsque je pense à l'apparence que j'aurai dans le futur.	0	1	2	3	4
39	Lorsque j'ai (ou que j'anticipe avoir) des relations sexuelles.	0	1	2	3	4
40	Lorsque mon ou ma partenaire me voit nue, nu.	0	1	2	3	4
41	Lorsque mon partenaire touche à des parties de mon corps que je n'aime pas.	0	1	2	3	4
42	Lorsque mon partenaire ne manifeste pas de désir sexuel.	0	1	2	3	4
43	Lorsque je suis avec certaines personnes (écrire les noms) :	0	1	2	3	4
44	Durant certaines périodes de la journée ou de la soirée (lesquelles) :	0	1	2	3	4
45	Durant certaines périodes du mois (lesquelles) :	0	1	2	3	4
46	Durant certaines saisons de l'année (lesquelles) :	0	1	2	3	4
47	Durant certaines activités de loisir (lesquelles) :	0	1	2	3	4
48	Lorsque je mange certains aliments (lesquels) :	0	1	2	3	4
49	Autre situation difficile :	0	1	2	3	4
50	Autre situation difficile :	0	1	2	3	4

Total =

Additionnez les résultats pour les items 1 à 48. Reportez le total dans le profil à la page 74.

Le test des pensées liées à l'image corporelle

Dans la vie de tous les jours, certaines pensées en lien avec votre apparence physique peuvent vous traverser l'esprit. Ce test est à propos de certaines de ces pensées.

- La première partie du test (A) concerne les pensées négatives. La seconde partie du test (B) concerne les pensées positives.
- Lisez chaque pensée et indiquez à quelle fréquence elle a traversé votre esprit au cours des sept derniers jours.
- Ne prenez pas chaque pensée au pied de la lettre. Certaines pensées peuvent ressembler à ce que vous vous dites dans votre tête, même si ce n'est pas avec les mêmes mots. Par exemple, il est possible qu'au lieu de vous dire « je ne suis pas attirant », vous vous disiez « je suis affreux » ou « j'ai l'air épouvantable ».

Au cours de la dernière semaine, à quelle fréquence chacune de ces pensées vous a-t-elle traversé l'esprit?

A) Pensées négatives

		Jamais	Quelquefois	Assez souvent	Très souvent	Toujours ou presque toujours
1	Ma vie est nulle à cause de mon apparence.	0	1	2	3	4
2	Je ne vaux rien à cause de mon apparence.	0	1	2	3	4
3	Je ne parais pas assez bien pour être ici (dans certaines situations spécifiques).	0	1	2	3	4
4	Pourquoi ne puis-je pas avoir une belle apparence?	0	1	2	3	4
5	C'est injuste d'avoir une apparence comme la mienne.	0	1	2	3	4
6	Avec l'apparence que j'ai, personne ne m'aimera.	0	1	2	3	4
7	Je souhaiterais avoir une plus belle apparence.	0	1	2	3	4
8	Je DOIS perdre du poids.	0	1	2	3	4
9	Je pense que j'ai l'air gros.	0	1	2	3	4
10	Ils rient de mon apparence.	0	1	2	3	4
11	Je ne suis pas attirante, attirant.	0	1	2	3	4
12	Je souhaiterais avoir l'apparence de quelqu'un d'autre.	0	1	2	3	4
13	Les autres ne m'aiment pas à cause de mon apparence.	0	1	2	3	4
14	Je ne serai jamais attirant.	0	1	2	3	4
15	Je déteste mon corps.	0	1	2	3	4
16	Quelque chose à propos de mon apparence DOIT changer.	0	1	2	3	4
17	Mon apparence gâche tout pour moi.	0	1	2	3	4
18	Je n'aurai jamais l'apparence que je souhaiterais avoir.	0	1	2	3	4
19	Je suis tellement déçu de mon apparence.	0	1	2	3	4
20	Puisque je ne me sens pas attirante attirant, il doit y avoir quelque chose qui cloche avec mon apparence.	0	1	2	3	4

		Jamais	Quelquefois	Assez souvent	Très souvent	Toujours ou presque toujours
21	Je souhaiterais ne pas me soucier de mon apparence.	0	1	2	3	4
22	Les autres remarquent instantanément ce qui cloche à propos de mon corps.	0	1	2	3	4
23	Les gens pensent que je ne suis pas attirante, attirant.	0	1	2	3	4
24	Ils ont meilleure apparence que moi.	0	1	2	3	4
25	Je pense que je ne suis pas attirante, attirant, particulièrement lorsque je suis en présence de personnes attirantes.	0	1	2	3	4
26	Je ne peux porter des vêtements stylés.	0	1	2	3	4
27	Mon corps devrait être plus découpé.	0	1	2	3	4
28	Mes vêtements ne me vont pas bien.	0	1	2	3	4
29	Je souhaiterais que les autres ne me regardent pas.	0	1	2	3	4
30	Je ne peux plus endurer mon apparence.	0	1	2	3	4
31	Autre pensée négative fréquente :	0	1	2	3	4
32	Autre pensée négative fréquente :	0	1	2	3	4

Total = _____

B) Pensées positives

		Jamais	Quelquefois	Assez souvent	Très souvent	Toujours ou presque toujours
1	Les autres pensent que j'ai une belle apparence.	0	1	2	3	4
2	Mon apparence m'aide à avoir confiance en moi.	0	1	2	3	4
3	Je suis fière, fier, de mon corps.	0	1	2	3	4
4	Mon corps a de belles proportions.	0	1	2	3	4
5	Mon apparence m'aide socialement.	0	1	2	3	4
6	J'aime mon apparence.	0	1	2	3	4
7	Je pense que je suis attirante, attirant, même lorsque je suis en présence de personnes plus attirantes que moi.	0	1	2	3	4
8	Je suis au moins autant attirante, attirant, que la plupart des gens.	0	1	2	3	4
9	Je ne me soucie pas du fait que les autres me regardent.	0	1	2	3	4
10	Je suis confortable avec mon apparence.	0	1	2	3	4
11	J'ai l'air en santé.	0	1	2	3	4
12	J'aime mon apparence lorsque je suis en maillot de bain.	0	1	2	3	4
13	Ces vêtements paraissent bien sur moi.	0	1	2	3	4
14	Mon corps n'est pas parfait, mais je pense qu'il est attirant.	0	1	2	3	4
15	Je n'ai pas besoin de changer mon apparence.	0	1	2	3	4
16	Autre pensée positive fréquente :	0	1	2	3	4
17	Autre pensée positive fréquente :	0	1	2	3	4

Total = _____

A- Les pensées négatives : Additionnez les résultats pour les items 1 à 30. Reportez le total dans le profil à la page 74.

B- Les pensées positives : Additionnez les résultats pour les items 1 à 15. Reportez le total dans le profil à la page 74.

Le test sur la relation « corps/soi »

Avez-vous déjà réalisé que vous avez une relation avec votre corps, tout comme vous avez une relation avec vos amis et votre famille? Ce dernier test mesure vos pensées, vos émotions et vos comportements en relation avec votre corps. Certains énoncés sont à propos de votre apparence physique, alors que d'autres sont en lien avec vos activités physiques et votre santé. Pour mieux comprendre votre relation avec votre corps, indiquez à quel point chaque affirmation vous correspond.

Indiquez à quel point chaque affirmation vous décrit bien.

		Totalement en désaccord	Assez en désaccord	Ni en accord, ni en désaccord	Assez en accord	Totalement en accord
1	Mon corps est sexuellement attirant.	1	2	3	4	5
2	J'aime mon apparence telle qu'elle est.	1	2	3	4	5
3	La plupart des gens trouvent que je parais bien.	1	2	3	4	5
4	J'aime mon apparence lorsque je ne porte aucun vêtement.	1	2	3	4	5
5	J'aime la façon dont mes vêtements me vont.	1	2	3	4	5
6	Je n'aime pas mon physique.	1	2	3	4	5
7	Je suis physiquement peu ou pas attirante, attirant.	1	2	3	4	5
8	Avant de sortir dans un endroit public, je vérifie toujours de quoi j'ai l'air.	1	2	3	4	5
9	Je fais attention d'acheter des vêtements qui me font paraître à mon avantage.	1	2	3	4	5
10	Je vérifie mon apparence dans un miroir chaque fois que je le peux.	1	2	3	4	5
11	Avant de sortir, je prends toujours beaucoup de temps pour me préparer.	1	2	3	4	5
12	Il est important pour moi de toujours paraître belle, beau.	1	2	3	4	5
13	Je ne suis pas à l'aise si mon apparence n'est pas suffisamment soignée.	1	2	3	4	5
14	Je soigne toujours ma coiffure.	1	2	3	4	5
15	Je tente toujours d'améliorer mon apparence physique.	1	2	3	4	5
16	Je porte habituellement des vêtements pratiques, sans me soucier de ce dont j'ai l'air.	1	2	3	4	5
17	Je ne me soucie pas de ce que les autres pensent de mon apparence.	1	2	3	4	5
18	Je ne pense jamais à mon apparence.	1	2	3	4	5
19	Je n'utilise que très peu de produits de soin ou de beauté.	1	2	3	4	5
20	J'apprends facilement de nouvelles aptitudes physiques.	1	2	3	4	5
21	J'ai une très bonne coordination.	1	2	3	4	5
22	Je suis en contrôle de ma santé.	1	2	3	4	5
23	Je suis rarement malade physiquement.	1	2	3	4	5
24	D'un jour à l'autre, je ne sais jamais comment je me sentirai dans mon corps.	1	2	3	4	5
25	Je suis une personne en bonne santé physique.	1	2	3	4	5
26	Je réussirais la plupart des tests de forme physique.	1	2	3	4	5

	Totalement en désaccord	Assez en désaccord	Ni en accord, ni en désaccord	Assez en accord	Totalement en accord
27 J'ai une bonne endurance physique.	1	2	3	4	5
28 Ma santé est une suite de hauts et de bas inattendus.	1	2	3	4	5
29 J'ai peu d'aptitude pour les sports ou les jeux physiques.	1	2	3	4	5
30 Je me sens souvent vulnérable à la maladie.	1	2	3	4	5
31 J'ai beaucoup de connaissances sur les facteurs qui peuvent influencer ma santé physique.	1	2	3	4	5
32 J'ai volontairement adopté un style de vie sain.	1	2	3	4	5
33 Être en bonne santé est l'une des choses les plus importantes dans ma vie.	1	2	3	4	5
34 Je ne fais rien qui pourrait compromettre ma santé.	1	2	3	4	5
35 Je fais des choses pour améliorer ma force physique.	1	2	3	4	5
36 Je lis souvent des livres et des magazines portant sur la santé.	1	2	3	4	5
37 Je fais des efforts pour améliorer mon endurance physique.	1	2	3	4	5
38 Je tente d'être active, actif, physiquement.	1	2	3	4	5
39 J'ai beaucoup de connaissances sur la forme physique.	1	2	3	4	5
40 Être en bonne forme physique n'est pas une grande priorité dans ma vie.	1	2	3	4	5
41 Je ne m'implique pas dans un programme régulier d'exercice.	1	2	3	4	5
42 Je tiens ma santé pour acquise.	1	2	3	4	5
43 Je ne fais aucun effort particulier pour avoir une alimentation équilibrée et nourrissante.	1	2	3	4	5
44 Je ne me soucie pas d'améliorer mes aptitudes pour les activités physiques.	1	2	3	4	5

a) Évaluation de l'apparence

Étape 1 : Additionnez les résultats pour les items 1 à 5.

Étape 2 : Additionnez les résultats pour les items 6 à 7.

Étape 3 : Soustrayez le résultat de l'étape 2 du résultat de l'étape 1.

Étape 4 : Ajoutez 12 points au résultat de l'étape 3.

$$\overline{} \;-\; \overline{} \;+\; 12 \;=\; \boxed{}$$
$$\text{1 à 5} \qquad \text{6 et 7}$$

Reportez le total de l'étape 4 dans le profil de la page 74.

b) Orientation vers l'apparence

Étape 1 : Additionnez les résultats pour les items 8 à 15.

Étape 2 : Additionnez les résultats pour les items 16 à 19.

Étape 3 : Soustrayez le résultat de l'étape 2 du résultat de l'étape 1.

Étape 4 : Ajoutez 24 points au résultat de l'étape 4.

$$\overline{} \;-\; \overline{} \;+\; 24 \;=\; \boxed{}$$
$$\text{8 à 15} \qquad \text{16 à 19}$$

Reportez le résultat de l'étape 4 dans le profil de la page 74.

c) Évaluation de la forme/santé

Étape 1 : Additionnez les résultats pour les items 20 à 27.

Étape 2 : Additionnez les résultats pour les items 28 à 30.

Étape 3 : Soustrayez le résultat de l'étape 2 du résultat de l'étape 1.

Étape 4 : Ajoutez 18 points au résultat de l'étape 4.

$$\overline{} \;-\; \overline{} \;+\; 18 \;=\; \boxed{}$$
$$\text{20 à 27} \qquad \text{28 à 30}$$

Reportez le résultat de l'étape 4 dans le profil de la page 74.

d) Orientation vers la forme/santé

Étape 1 : Additionnez les résultats pour les items 31 à 39.

Étape 2 : Additionnez les résultats pour les items 40 à 44.

Étape 3 : Soustrayez le résultat de l'étape 2 du résultat de l'étape 1.

Étape 4 : Ajoutez 30 points au résultat de l'étape 4.

$$\overline{} \;-\; \overline{} \;+\; 30 \;=\; \boxed{}$$
$$\text{31 à 39} \qquad \text{40 à 44}$$

Reportez le résultat de l'étape 4 dans le profil de la page 74.

Maintenant, reportez le total que vous avez obtenu pour chaque test dans le profil d'image corporelle suivant (selon votre sexe). Ensuite, encerclez dans la partie de droite le niveau auquel correspond chaque total.

Profil d'image corporelle pour femme

		TOTAUX	Très faible	Faible	Moyen	Élevé	Très élevé
1	Satisfaction des parties du corps		8-22	23-25	26-27	28-32	33-40
2	Les vœux		0-8	9-17	18-26	27-50	51-90
3	Situations de détresse		0-50	51-72	73-80	81-110	111-192
4	Les pensées						
	a) Pensées négatives		0-8	9-17	18-21	22-39	40-120
	b) Pensées positives		0-16	17-26	27-32	33-39	40-60
5	Relation corps/soi						
	a) Évaluation de l'apparence		7-17	18-23	24-25	26-29	30-35
	b) Orientation vers l'apparence		12-40	41-46	47-48	49-53	54-60
	c) Évaluation de la forme/santé		11-33	34-40	41-42	43-47	48-55
	d) Orientation vers la forme/santé		14-41	42-49	50-52	53-59	60-70

Profil d'image corporelle pour homme

		TOTAUX	Très faible	Faible	Moyen	Élevé	Très élevé
1	Satisfaction des parties du corps		8-25	26-28	29-30	31-33	34-40
2	Les vœux		0-8	9-17	18-26	27-50	51-90
3	Situations de détresse		0-24	25-43	44-49	50-65	66-192
4	Les pensées						
	a) Pensées négatives		0-7	8-15	16-17	18-32	33-120
	b) Pensées positives		0-13	14-21	22-25	26-34	35-60
5	Relation corps/soi						
	a) Évaluation de l'apparence		7-19	20-24	25-26	27-29	30-35
	b) Orientation vers l'apparence		12-36	37-42	43-44	45-50	51-60
	c) Évaluation de la forme/santé		11-36	37-42	43-44	45-50	51-55
	d) Orientation vers la forme/santé		14-41	42-49	50-52	53-59	60-70

Comment interpréter vos résultats?

Test 1 : **Satisfaction des parties du corps**

Si vos résultats sont faibles ou très faibles…

- Vous trouvez beaucoup de détails insatisfaisants sur votre corps.
- Vous êtes moins satisfait que la moyenne des gens.

Trois raisons qui peuvent expliquer des résultats aussi faibles :

- vous avez de nombreuses sources d'insatisfaction;
- un seul facteur, par exemple votre poids, vous rend insatisfait. Comme plusieurs parties de votre corps peuvent trahir ce facteur, vous êtes insatisfait de plusieurs caractéristiques de votre corps;
- vous êtes neutre. Vous n'avez pas de sentiments intenses (positifs ou négatifs) à propos de votre apparence. Les hommes sont souvent comme ça. Cette neutralité vous protège de la souffrance associée à l'insatisfaction, mais vous empêche également d'apprécier vos plus beaux attributs.

Si vos résultats sont moyens ou plus élevés…

- Votre apparence générale vous plaît, mais certaines caractéristiques très précises peuvent quand même vous déplaire (ex. : une cicatrice, une tache de naissance).

Peu importe votre résultat, éliminer toute forme d'insatisfaction permet de se sentir mieux dans sa peau!

Test 2 : **Les vœux d'apparence**

Vous avez des idéaux de beauté. Lorsque vous souhaitez des idéaux que vous croyez ne pas pouvoir atteindre, votre image corporelle se détériore. Plus vous considérez un idéal de beauté comme étant important, plus vous êtes affecté par le fait de ne pas l'atteindre.

Si vos résultats sont élevés ou très élevés…

- Votre image corporelle est affectée par des « je dois » ou des « je devrais » : « Je devrais être plus grand » ou « Je devrais avoir une peau parfaite », par exemple.
- Vos exigences perfectionnistes par rapport à votre apparence maintiennent une image corporelle négative.

Si vos résultats sont moyens ou plus faibles…
- Vous n'êtes pas nécessairement à l'abri des « je dois » ou des « je devrais ».
- Il existe probablement certains idéaux physiques que vous exigez de vous-même.

Souhaiter être parfait n'équivaut pas à se souhaiter du bien!

Test 3 : Les situations causant de la détresse

Ce test vous permet de déterminer les situations qui déclenchent vos pensées et vos émotions reliées à votre image corporelle négative.

Si vos résultats sont élevés ou très élevés…
- De nombreuses situations vous dérangent par rapport à votre apparence. La vie quotidienne correspond à traverser un champ de mines! Les chances de vivre des expériences ou des émotions négatives sont très élevées. La démarche psychologique proposée vous apprendra à réagir différemment lors des situations qui provoquent le plus de détresse en vous.

Si vos résultats sont moyens ou plus faibles…
- Seulement certaines situations très précises vous rendent inconfortables avec votre apparence. Même si ces situations sont peu nombreuses, vous pouvez faire un effort pour éliminer la détresse qu'elles vous causent.

Test 4 : Les pensées liées à l'image corporelle

Il est important de déterminer à quelle fréquence certaines pensées, positives et négatives, vous traversent l'esprit. Avec ce test, vous apprenez à lire vos pensées.

Les pensées négatives :
- si vous avez un résultat élevé ou très élevé, cela veut dire que vous avez tendance à penser le pire de votre apparence et ces pensées vous viennent souvent en tête. Vous êtes probablement convaincu que ces autocritiques mentales sont vraies. Lorsque vous pensez aux aspects de votre apparence, vous focalisez sur vos défauts. Vous ruminez sur ce que les autres pensent de votre apparence et vous croyez probablement qu'ils vous jugent aussi sévèrement que vous-même. Lorsque ces pensées vous viennent en tête, il est difficile pour vous de les ignorer;
- si votre résultat est moyen ou faible, vos pensées d'autocritique sont moins sévères. Il est également possible que seulement certains détails précis vous dérangent.

Les pensées positives :
- si vous avez un résultat faible ou très faible, votre esprit est fermé et vous ne reconnaissez pas les belles caractéristiques de votre apparence. Il est possible que vous pensiez qu'il n'y a rien de bon à penser par rapport à votre apparence. Il est également possible que chaque pensée flatteuse que vous avez soit suivie d'un « oui mais… » et d'une autocritique. Par exemple : « mes cheveux sont super beaux aujourd'hui, mais ça ne me donne pas l'air plus mince »;
- une autre raison expliquant vos difficultés à avoir des pensées positives est la croyance que seulement les gens vaniteux et égocentriques pensent du bien de leur apparence. Si c'est le cas, alors toute pensée positive concernant votre apparence est suivie d'un sentiment de culpabilité. Vous discréditez donc vos pensées positives en vous disant « je ne devrais pas penser comme ça ».

La démarche proposée vous apprendra à vous autoriser à avoir des pensées positives par rapport à votre apparence.

Test 5 : **La relation corps/soi**

Le résultat de l'évaluation de votre apparence…
- Indique votre perception ou votre jugement général par rapport à votre apparence.
- Si ce résultat est faible ou très faible, vous avez probablement une vision trop « collée sur le miroir » de votre corps. Votre perception de votre apparence en tant qu'un tout est biaisée par la façon dont vous percevez certaines parties de votre corps. La démarche vous aidera à développer une perception plus juste de votre apparence (ses parties et sa totalité).
- Si vos résultats sont moyens ou élevés, vous êtes capable de ne pas laisser vos insatisfactions précises influencer votre perception de votre apparence générale. C'est un bon point!

Le résultat de l'orientation vers l'apparence…
- Indique à quel point vous investissez dans votre apparence, à quel point vous considérez l'apparence comme étant importante comparativement aux autres qualités que vous possédez.
- Si votre résultat est élevé ou très élevé, votre apparence est exagérément importante pour vous. Vous investissez trop de temps, d'efforts et d'énergie mentale sur votre apparence. Votre apparence définit une trop grande partie de votre perception de vous-même. Si vous avez une image corporelle négative, vous n'avez pas un retour sur votre investissement de temps et d'énergie. Comme un sage investisseur, vous devriez diversifier vos investissements. Vous devez investir le sens de votre valeur personnelle dans d'autres sphères de votre vie que votre apparence.

- Si votre résultat est autour de la moyenne ou plus faible, cela ne veut pas nécessairement dire que votre apparence n'est pas importante pour vous. Notre société nous enseigne depuis longtemps à investir dans notre apparence. Si votre résultat est faible, posez-vous la question suivante : « Est-ce que j'ai abandonné l'investissement dans mon apparence parce que je considère que chaque tentative pour l'améliorer est condamnée à échouer? »

Le résultat de l'orientation vers la forme/santé...

- Indique à quel point vous investissez dans votre corps pour autre chose que sa beauté... pour ce que votre corps peut faire. Les gens qui sont orientés vers la forme et la santé sont des gens actifs et font de l'exercice régulièrement. Volontairement, ils font des choix santé par rapport à leur alimentation. Ils adoptent un style de vie qui prévient la maladie et qui favorise la santé.

- Si vos résultats sont moyens ou plus faibles, vous négligez une source importante de satisfaction corporelle. Comparez votre résultat d'orientation vers la forme/santé à celui de l'orientation vers l'apparence. Si ce dernier est le plus élevé, vous devrez inverser les choses et investir plus d'énergie dans votre bien-être physique.

- Si ce résultat est élevé, demandez-vous pourquoi. Si vous contrôlez votre alimentation et faites de l'exercice régulièrement, est-ce que la santé est votre véritable priorité? Est-ce que votre but n'est pas plutôt de **paraître** mince, de **paraître** musclé, de **paraître** en santé? Ce résultat est parfois de l'orientation vers l'apparence déguisée!

Le résultat de l'évaluation de la santé...

- Indique votre retour sur investissement en matière de forme et de santé. Les résultats les plus élevés représentent les résultats positifs de votre style de vie sain. Des résultats plus faibles représentent de l'insatisfaction par rapport au fonctionnement de votre corps. Vous vous sentez ankylosé et en perte de santé.

Maintenant, à partir de l'évaluation de votre profil d'image corporelle, il est important de procéder à l'identification de vos besoins avant de faire les autres démarches. Voici l'espace pour le faire :

- J'ai besoin de me sentir mieux à propos de mes caractéristiques physiques suivantes :

_____

_____

- J'ai besoin de mieux contrôler ou d'éliminer les émotions suivantes (par rapport à l'image corporelle) :

  _____

  _____

- J'ai besoin de moins m'en faire avec les idéaux physiques suivants :

  _____

  _____

- J'ai besoin de me débarrasser des pensées négatives suivantes :

  _____

  _____

- J'ai besoin d'avoir plus souvent les pensées positives suivantes :

  _____

  _____

- Je dois apprendre à mieux affronter les situations suivantes :

  _____

  _____

- Je dois changer les comportements orientés vers l'apparence suivants :

  _____

  _____

- Je dois changer les comportements orientés vers la forme/santé suivants :

  _____

  _____

Se concentrer sur que l'on contrôle vraiment

Maintenant que vous savez comment se développe l'image corporelle et que vous avez évalué votre profil d'image corporelle, vous êtes en mesure de reconnaître les éléments qui vous font le plus souffrir. Vous savez que vous n'avez aucun contrôle sur les photos dans les magazines, sur les diktats de la mode, sur certains éléments de votre apparence dont vous avez hérité de vos parents, sur l'âge auquel vous avez vécu les changements associés à votre puberté, sur votre passé… Mais vous avez un pouvoir d'action sur vos réactions psychologiques, sur vos croyances, vos pensées, vos émotions et vos comportements. Vous avez un pouvoir sur tous ces facteurs ACTUELS qui influencent votre image corporelle, et c'est votre responsabilité, à partir du moment où vous savez comment faire, d'exercer ce pouvoir. Remettre en question vos croyances et vos pensées, diminuer vos comportements d'évitement et adopter des comportements qui vous permettent de mieux respecter votre corps sont toutes des actions qui représentent une énergie beaucoup mieux investie que lorsque vous la gaspillez à vous apitoyer sur les événements de votre passé et sur les normes de beauté irréalistes que les médias vous imposent.

Cesser de croire ce que la société nous dicte, s'orienter vers la santé plutôt que vers l'apparence, multiplier les sources de développement d'estime de soi, briser l'isolement social, affronter le miroir, apprendre à respecter son corps, apprendre à l'aimer… voilà votre réel pouvoir d'action!

Si vous voulez fonder une coalition ou une association contre les mannequins trop maigres ou contre le marché de la beauté, c'est peut-être une bonne idée et l'intention est très noble, mais commencez d'abord par travailler sur votre propre bien-être. Vous aurez par la suite beaucoup plus d'énergie pour tenter de changer le monde!

Apprendre à respirer, à relaxer et à affronter le miroir

Vous devez maintenant procéder à la désensibilisation au miroir. Il s'agit d'une première étape pour prendre le contrôle de vos sentiments par rapport à votre apparence. C'est une reprogrammation de vos réactions dans des situations stressantes associées à votre apparence. Actuellement, vous êtes conditionné à ressentir des émotions négatives en réaction à certaines parties de votre apparence. C'est presque devenu un réflexe. La désensibilisation vous entraîne à développer de nouveaux réflexes de remplacement en réaction aux parties de votre apparence que vous aimez moins.

Comment ça fonctionne? Vous devez d'abord apprendre à maîtriser des techniques de respiration et de relaxation afin d'être mieux préparé à affronter graduellement les parties de votre corps que vous détestez devant un miroir. En effet, puisque se regarder dans le miroir peut être une situation causant beaucoup de tension, la respiration diaphragmatique et les exercices de relaxation musculaire doivent être maîtrisés avant de faire des séances de désensibilisation devant le miroir.

Soyons d'abord réalistes… les techniques de respiration et de relaxation ne fonctionnent pas pour tout le monde! Certains ont l'impression d'être en danger lorsqu'ils relaxent, parce qu'ils ne sont pas en état de vigilance par rapport à ce qui les entoure. C'est comme si la relaxation leur enlevait un bouclier de protection. Pour d'autres, les techniques de relaxation sont aidantes, puisque l'état de relaxation est contraire à un état de tension.

Le premier exercice de respiration consiste à prendre de longues et profondes inspirations et d'en faire tout autant pour l'expiration! Afin de vous assurer de respirer assez profondément, placez une main sur votre ventre, et l'autre sur votre poitrine. Vous êtes certain d'inspirer assez profondément lorsque votre ventre gonfle et non votre poitrine. Il faut inspirer par le nez. Vous avez expiré assez profondément lorsque votre ventre est complètement dégonflé. Ce n'est pas très élégant de jouer avec votre ventre de cette façon, mais c'est relaxant! D'ailleurs, si cela s'appelle la « respiration diaphragmatique », c'est parce que lorsque cette technique est appliquée correctement, les profondes inspirations font en sorte que l'air se rend jusqu'au diaphragme, qui pousse légèrement les organes vers l'abdomen, qui se gonfle. Donc, lorsque vous inspirez et que votre ventre gonfle au lieu de votre poitrine, cela signifie que l'air se rend jusqu'à votre diaphragme. Afin de vous assurer d'inspirer assez longuement, vous devez inspirer pendant trois VRAIES secondes. Pour éviter de compter 1-2-3 vite, vite, vite, comptez des éléphants : un é-lé-phant, deux é-lé-phants, trois é-lé-phants. L'expiration doit également durer les mêmes trois longues secondes.

La relaxation musculaire vise à atteindre un état de détente en diminuant la tension musculaire. Les professionnels utilisent souvent la technique de Jacobson, qui fait tendre et détendre chaque groupe de muscles, un à la fois. Cette technique prendra environ 20 à 30 minutes de votre temps. Il faut vous assurer de choisir un endroit confortable et calme où vous ne risquez pas d'être dérangé. Choisissez un endroit où vous vous sentirez en sécurité. Si vous désirez apprendre cette technique à votre enfant, il serait bon de vous assurer qu'il connaît les différentes parties de son anatomie, notamment les coudes, les poings, les mollets, les chevilles, le torse, les épaules, les omoplates, la poitrine et la nuque. Vous pouvez même lui montrer comment faire les mouvements avant de lui demander de faire l'exercice de relaxation musculaire les yeux fermés. Sans nécessairement faire la désensibilisation devant le miroir, les exercices de respiration et de relaxation permettent aux gens d'apprécier certaines sensations de bien-être que leur corps peut leur procurer. Rappelez-vous que, comme on l'a vu dans le chapitre 5, faire certaines activités qui procurent un bien-être physique constitue un excellent moyen de prévention pour les enfants! Certaines cassettes de relaxation musculaire sont offertes sur le marché. Mais vous pouvez faire votre propre cassette en vous enregistrant en train de lire, de votre voix la plus douce, les instructions des pages suivantes (en bleu).

Pour la désensibilisation devant le miroir, vous devez faire votre relaxation pendant que vous regardez certains aspects de votre apparence dans un miroir. Commencez par regarder les parties de votre corps avec lesquelles vous êtes confortable, pour ensuite progresser graduellement en regardant des parties de votre corps avec lesquelles vous êtes de moins en moins confortable. Pratiquez cet exercice réguliè-rement, jusqu'à ce que vous puissiez tolérer de vous regarder complètement nu devant un miroir, pendant de longues minutes. Plus tard, lorsque vous devrez affronter d'autres situations stressantes (telles que cesser vos comportements d'évitement liés à votre image corporelle), ces deux techniques (respirer et relaxer) vous seront très utiles.

- Installe-toi sur le dos, les bras de chaque côté du corps, les jambes droites et les paupières fermées.

- Commence par respirer len-te-ment, ré-gu-liè-re-ment. Tente de respirer par le ventre, comme lorsque tu comptes les éléphants! Ensuite, expire len-te-ment, en t'imaginant que tous tes tracas sortent de ton corps.

- Concentre-toi sur le bras avec lequel tu dessines. Plie le coude, colle ton bras le long de ton corps et serre fortement le poing. Serre les muscles de ton bras pendant six secondes, 1… 2… 3… 4… 5… 6…, puis relâche complètement, tout d'un coup, comme si tu étais un petit robot dont on retire la pile! Remarque la différence entre ton bras serré et ton bras détendu, respire len-te-ment. Détends-toi quelques secondes et… recommence avec le même bras. Plie le coude, colle ton bras le long de ton corps et serre fortement le poing Serre les muscles de ton bras pendant six secondes, 1… 2… 3… 4… 5… 6…, puis relâche complètement. Remarque à quel point ton bras est détendu…

- Maintenant, fais la même chose avec l'autre bras. Plie le coude, colle ton bras le long de ton corps et serre fortement le poing. Serre les muscles de ton bras pendant six secondes, 1… 2… 3… 4… 5… 6…, puis relâche complètement, tout d'un coup! Remarque la différence entre ton bras serré et ton bras détendu, respire len-te-ment. Détends-toi quelques secondes et… recommence avec le même bras. Plie le coude, colle ton bras le long de ton corps et serre fortement le poing. Serre les muscles de ton bras pendant six secondes, 1… 2… 3… 4… 5… 6…, puis relâche complètement. Remarque à quel point ton bras est détendu…

- Maintenant, fais la même chose avec ton visage. Concentre-toi sur les muscles de ton visage. Maintenant, tu vas faire une drôle de grimace, tout en gardant tes yeux fermés. Lève les sourcils vers le haut, plisse le nez comme quand ça sent mauvais et tire les coins de ta bouche comme si tu voulais faire le sourire le plus large du monde. Tiens ta grimace pendant six secondes, 1… 2… 3… 4… 5… 6…, puis relâche… Repose tes joues, tes yeux, ton menton. Remarque la différence entre la sensation de ton visage en grimace et celle de ton visage détendu. Détends-toi quelques secondes et… recommence! Lève les sourcils vers le haut, plisse le nez et tire les coins de ta bouche. Tiens ta grimace pendant six secondes, 1… 2… 3… 4… 5… 6…, puis relâche… Repose tes joues, tes yeux, ton menton. Détends-toi!

- Maintenant, concentre-toi sur les muscles de ton cou et de ta gorge. Contracte tes muscles en poussant ton menton vers ta poitrine tout en étirant l'arrière de ton cou comme s'il était tiré par une corde vers le haut. Tiens cette position pendant six secondes, 1... 2... 3... 4... 5... 6..., puis relâche d'un coup... Repose tes épaules et ton cou. Remarque la différence entre ton cou tendu et ton cou détendu. Détends-toi quelques secondes et... recommence! Contracte tes muscles en poussant ton menton vers ta poitrine tout en étirant l'arrière de ton cou vers le haut. Tiens cette position pendant six secondes, 1... 2... 3... 4... 5... 6..., puis relâche d'un coup... Repose tes épaules et ton cou. Détends-toi!

- Maintenant, concentre-toi sur les muscles de ton torse, de ta poitrine, de ton dos, tes muscles dans ton ventre... Inspire profondément et retiens ton souffle puis... contracte tes muscles, essaie de faire se rejoindre tes deux épaules (omoplates) dans ton dos et durcis ton ventre en le rentrant. Contracte tes muscles pendant six secondes, 1... 2... 3... 4... 5... 6..., puis relâche complètement en expirant. Repose tous les muscles de ton torse. Remarque la différence entre ton torse tendu et ton torse détendu. Détends-toi quelques secondes et... recommence! Inspire profondément, retiens ton souffle puis... contracte tes muscles, essaie de faire se rejoindre tes épaules (omoplates) dans ton dos et rentre ton ventre. Contracte tes muscles pendant six secondes, 1... 2... 3... 4... 5... 6..., puis relâche complètement en expirant. Repose tous les muscles de ton torse. Détends-toi!

- Maintenant, concentre-toi sur ta jambe droite. Sens ta cuisse, ton mollet et ton pied... jusqu'au bout des orteils! Lève ta jambe et pointe tes orteils comme pour toucher quelque chose le plus loin que tu le peux. Contracte tes muscles pendant six secondes, 1... 2... 3... 4... 5... 6..., puis relâche complètement. Relaxe ta jambe étendue, fais tourner légèrement ta cheville. Remarque la différence entre ta jambe tendue et ta jambe détendue. Détends-toi quelques secondes et... recommence! Lève ta jambe et pointe tes orteils. Contracte tes muscles pendant six secondes, 1... 2... 3... 4... 5... 6..., puis relâche complètement. Relaxe ta jambe étendue. Détends-toi!

- Maintenant, concentre-toi sur ta jambe gauche. Sens ta cuisse, ton mollet et ton pied... jusqu'au bout des orteils! Lève ta jambe et pointe tes orteils comme pour toucher quelque chose le plus loin que tu le peux. Contracte tes muscles pendant six secondes, 1... 2... 3... 4... 5... 6..., puis relâche complètement. Relaxe ta jambe étendue, fais tourner légèrement ta cheville. Remarque la différence entre ta jambe tendue et ta jambe détendue. Détends-toi quelques secondes et... recommence! Lève ta jambe et pointe tes orteils. Contracte tes muscles pendant six secondes, 1... 2... 3... 4... 5... 6..., puis relâche complètement. Relaxe ta jambe étendue. Détends-toi!

- Pendant deux minutes, relaxe et profite de ce moment de détente complète. Inspire par le nez len-te-ment, puis expire par la bouche len-te-ment. Inspire, 1... 2... 3..., expire, 1... 2... 3..., inspire, 1... 2... 3..., expire, 1... 2... 3..., inspire, 1... 2... 3..., expire, 1... 2... 3..., inspire, 1... 2... 3..., expire, 1... 2... 3..., inspire, 1... 2... 3..., expire 1... 2... 3...

- Réveille-toi tout doucement en commençant par bouger lentement tes pieds et tes jambes. Puis, bouge doucement tes mains et tes bras. Enfin, bouge doucement la tête et ton cou. Ouvre tes yeux quand tu te sentiras prêt.

Cesser de prendre les croyances pour des vérités absolues et les remettre en question

Dans le chapitre 3, nous avons vu que les facteurs historiques qui influençaient le développement de l'image corporelle développaient également des schémas, de fausses croyances par rapport à l'importance de l'apparence. Souvent, ces croyances sont intégrées depuis tellement longtemps qu'elles en deviennent presque inconscientes. Mais ce sont ces croyances, dormant dans votre arrière-pensée, qui déclenchent un discours intérieur négatif lorsque vous devez affronter des situations où votre apparence vous met mal à l'aise. En fait, les croyances déterminent la façon avec laquelle vous interprétez la réalité. Ce sont des « lunettes » qui influencent la façon dont vous vous percevez et la façon dont vous percevez les situations auxquelles vous faites face.

Afin d'améliorer votre image corporelle, il est important de tenter d'identifier vos croyances par rapport à l'apparence et à la beauté et de les remettre en question. Ce n'est pas parce que votre entourage, vos expériences et les médias vous ont envoyé des messages depuis longtemps que ces messages sont nécessairement des vérités! Une fois que ces croyances auront été identifiées, il faudra donc les remettre en question. Vous remarquerez que bien que vos croyances ne soient pas des vérités absolues, elles ne sont pas nécessairement fausses à 100 %. Vous constaterez que certaines d'entres elles comportent une part de vérité, mais qu'avant de les remettre en question, votre perception en était exagérée et elle vous empêchait de voir le positif dans vos situations.

Voici des exemples de croyances, telles que répertoriées par Cash (1997), qui biaisent peut-être votre façon de percevoir la réalité :

Les 10 croyances pouvant mener à une image corporelle négative

1   Les gens attirants ont toutes les possibilités.
2   La première chose que les gens remarqueront à propos de moi est ce qui cloche dans mon apparence.
3   L'apparence révèle la personne intérieure.
4   Si j'avais l'apparence que je souhaite, ma vie serait plus heureuse.
5   Si les gens voyaient ce dont j'ai vraiment l'air, ils m'aimeraient moins.
6   En contrôlant mon apparence, je peux contrôler mes émotions et ma vie sociale.
7   Mon apparence est responsable de ce qui m'arrive dans la vie.
8   Je devrais toujours faire tout ce que je peux pour avoir la meilleure apparence possible.
9   Les messages véhiculés par les médias éliminent toute possibilité d'être satisfait de mon apparence.
10 La seule façon d'aimer mon apparence, c'est de la changer.

Voici un exemple illustrant comment ces croyances peuvent affecter vos émotions.

Croyance : Les gens attirants ont toutes les possibilités.

En croyant cela, vous vous concentrez sur tous les aspects que vous aimeriez changer de votre apparence. En vous concentrant seulement sur vos insatisfactions, vous vous dites que vous ne serez jamais satisfait de votre apparence et puis vous vous sentez triste et déprimé. Vous n'avez plus le goût de sortir. Voyons cet exemple dans le diagramme du développement de l'image corporelle.

Exemple de croyances

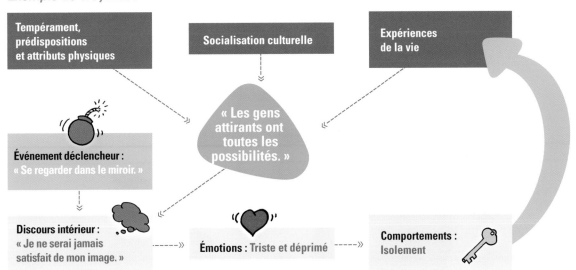

Voilà la raison pour laquelle il est important de remettre en question vos croyances. Pour ce faire, il suffit d'identifier les croyances qui vous touchent le plus dans la liste de la page 86 et de jouer au détective avec ces croyances, c'est-à-dire que vous allez vous demander quelles sont les preuves pour et contre ces croyances.

Laissez-moi vous aider… Prenons chacune des dix croyances, une par une, et remettons-les en question.

Les gens attirants ont toutes les possibilités

Plusieurs facteurs nous amènent à croire cet énoncé. Il est vrai que bien paraître peut parfois aider! Rappelez-vous qu'au chapitre 3, nous avons discuté des effets réels de l'apparence (ex. : être plus populaire). Mais la beauté n'est qu'une promesse du bonheur. Et elle ne tient pas toujours sa promesse! Pesons le pour et le contre d'être attirant.

- La beauté n'est pas la seule chose que l'on remarque chez les gens. Nous remarquons aussi leurs actions. Pensez aux gens qui vous ont impressionné ou qui sont importants dans votre vie. Obtiendraient-ils tous un 10/10 si vous deviez noter leur apparence?

- Les premières impressions ne durent pas toujours. Avez-vous déjà rencontré quelqu'un que vous trouviez ordinaire au début, puis qui devenait de plus en plus beau avec le temps? Ou au contraire, avez-vous déjà rencontré quelqu'un de belle apparence qui a perdu tout son charme après que vous ayez pu observer certains de ses comportements?

- Au-delà de l'apparence, nous sommes souvent plus attirés par les gens qui nous ressemblent (mêmes intérêts, mêmes valeurs philosophiques, même niveau d'éducation…).

- Certains stéréotypes négatifs sont associés aux belles personnes. En effet, bien que cela soit faux, certaines personnes croient que ceux qui ont une belle apparence peuvent être artificiels, opportunistes, irresponsables, moins romantiques… La beauté peut donc parfois attirer également des préjugés négatifs.

- La beauté des uns engendre parfois de l'intimidation et de l'envie chez les autres. La beauté engendre également des doutes sur les intentions des autres… « M'aime-t-il seulement pour ma beauté ou pour la personne que je suis? »

- Enfin, une chose est certaine : l'apparence n'est pas si importante pour tout le monde!

La première chose que les gens remarqueront à propos de moi est ce qui cloche dans mon apparence

Cette affirmation est seulement partiellement vraie. Il est évident que les têtes se tourneront vers vous si vous avez les cheveux orange ou un tatouage sur le front, mais alors, ce sera voulu! Testons cette croyance!

- Si vous êtes très obèse ou si vous êtes défiguré, peu de gens ne le remarqueront pas. Et alors! Cela ne veut pas dire que les gens vous veulent du mal et que votre vie est ruinée! Vous avez toujours le choix de vos actions : être amical, gentil, drôle, sociable... Tout ça a probablement plus d'influence que votre apparence.
- Connaissez-vous des gens qui ont une apparence hors du commun et qui semblent confiants et heureux?
- Pour la plupart des gens, cet énoncé est faux. VOUS remarquez ce que vous n'aimez pas de votre apparence. Les chances sont que les autres personnes s'en moquent, car elles n'accordent pas autant d'importance à votre apparence que vous le faites vous-même! Elles ont autres choses auxquelles penser! Évidemment, si des gens de votre entourage ont également une image corporelle négative, ils sont probablement beaucoup plus concentrés sur LEUR apparence et les risques que vous remarquiez LEURS défauts!
- Un nouveau discours intérieur pourrait vous aider sur ce plan : « Et alors! Si les gens remarquent mes défauts, qu'est-ce que ça peut bien faire? La vie continue! Les gens me disent qu'ils m'apprécient parce que... »

L'apparence révèle la personne intérieure

Il y a énormément de preuves contre cet énoncé dans vos vies quotidiennes. On ne juge pas un livre par sa couverture, ou un cadeau par son emballage. La plupart des gens qui conservent cette croyance le font car ils se concentrent sur les situations où leur première impression s'est avérée exacte. Pensez plutôt à vos expériences personnelles où vous avez fait des erreurs de jugement en vous basant sur vos premières impressions sur les autres.

Si j'avais l'apparence que je souhaite, ma vie serait plus heureuse

Ce ne sont pas les situations ou les événements qui vous causent des émotions, mais plutôt les interprétations que vous en faites. Donc, ce n'est pas votre apparence qui vous rend malheureux, mais plutôt vos vœux irréalistes. Ces attentes irréalistes et ces critères de beauté vous empêchent de vous accepter comme personne et de profiter de la vie. Les gens attirants ne sont pas nécessairement plus heureux que vous… eux aussi ont leurs propres critères de beauté et leurs propres insatisfactions. Plus vous voulez désespérément quelque chose, moins vous appréciez ce que vous avez. Il est même possible que pour justifier votre désir de changement, vous dénigriez ce que vous avez déjà, comme les parties de votre corps qui sont belles et attirantes. Rappelez-vous que votre nouveau but, votre priorité est d'atteindre une image corporelle plus positive, pas d'avoir un corps différent : « Lorsque je m'accepterai et que j'apprendrai à apprécier mon apparence, ma vie sera plus heureuse. C'est MOI qui ai le contrôle là-dessus… pas mon corps ! »

Si les gens voyaient ce dont j'ai vraiment l'air, ils m'aimeraient moins

Cette croyance vous mène tout droit vers la honte. Croire cette affirmation vous force à cacher les aspects de votre corps que vous pensez que les autres trouveront répugnants. Vous vous inquiétez de ce que vous considérez comme la « vérité toute nue » ! Le problème de cette croyance, c'est qu'elle devient souvent une théorie naïve non testée, puisque vous ne vérifierez jamais comment les autres réagiraient si vous cessiez de cacher ou de maquiller les parties de votre corps que vous n'aimez pas. Vous cacher ne fait que maintenir, ou même empirer votre honte. Faites un petit test : demandez-vous combien de fois vous avez cessé d'aimer quelqu'un après avoir découvert un de ses défauts physiques. Vous êtes-vous déjà dit : « Maintenant que j'ai vu Catherine sans maquillage, je n'ai plus envie de me tenir avec elle » ? Rappelez-vous que VOUS êtes la personne qui est répugnée par ses caractéristiques physiques. Si les autres voyaient vraiment ce dont vous avez l'air, leur opinion sur vous ne changerait probablement pas. Demandez-vous si vous exagérez un peu les conséquences négatives de vous montrer, de cesser de vous cacher.

En contrôlant mon apparence, je peux contrôler mes émotions et ma vie sociale

Vous pouvez avoir beaucoup de contrôle sur votre apparence… Pensez à tous les outils disponibles : vêtements, maquillage, crèmes, coiffure, alimentation saine, exercices, chirurgie, etc. Soigner votre apparence peut l'améliorer de façon considérable et vous faire sentir attirant, mais jusqu'où irez-vous pour contrôler votre apparence? Le danger est de vous fier exclusivement à ces outils de beauté. Vous ne pouvez pas gérer votre estime de vous-même et votre vie seulement en vous fiant à votre apparence. Soigner votre apparence est agréable et fonctionnera bien seulement si vous améliorez votre image corporelle d'abord. Des vêtements griffés ne servent à rien si vous n'aimez pas le corps qui est dedans et s'ils ne servent qu'à cacher les parties de votre apparence que vous détestez. La vraie croyance devrait être : en améliorant mon image corporelle, j'ai un meilleur contrôle sur mes émotions et ma vie sociale.

Mon apparence est responsable de ce qui m'arrive dans la vie

Votre apparence a sûrement affecté certaines choses dans votre vie. Cependant, la plupart des choses qui vous arrivent dans la vie n'ont rien à voir avec votre apparence. La majorité des choses que vous vivez sont le produit de votre personnalité, de votre intelligence, de vos décisions, de vos actions… ou du hasard, tout simplement! Une belle apparence n'est pas un préalable pour le succès dans la majorité des sphères de la vie, à l'exception de certains médias et du monde de la mode. Connaissez-vous des gens importants dans le monde qui seraient loin de gagner un concours de beauté? La majorité des gens qui nous ont significativement touchés ou marqués ne sont pas nécessairement beaux. Pouvez-vous penser à des gens que vous avez aimés ou admirés pour des raisons autres que leur apparence? Un ami, un professeur, un membre de votre famille, un artiste, un mentor… Vous devriez plutôt vous dire : « Même si mon apparence peut avoir une certaine petite influence sur certains aspects de ma vie, je reste tout de même responsable de mener ma vie comme je le veux et de prendre de bonnes décisions. Je peux faire des choix concernant la façon de gérer les impacts de mon apparence sur ma vie. Je peux contrôler mon présent, mon futur… pas mon apparence! »

Je devrais toujours faire tout ce que je peux pour avoir la meilleure apparence possible

Les mots « toujours » et « devrais » impliquent que soigner votre apparence est un devoir… au lieu d'être un plaisir. Cette phrase implique également que le fait de ne pas bien paraître est un échec. Pourquoi vous imposez-vous cette obligation? Qu'arrivera-t-il si votre apparence n'est pas optimale? Qu'avez-vous à gagner si vous paraissez le mieux possible? Avoir une apparence la plus parfaite possible dépend d'un jugement personnel et subjectif… Comment saurez-vous que vous avez atteint cet objectif? Et si vous avez la meilleure allure possible selon VOS critères, comment saurez-vous que vous l'avez aussi selon les critères de ceux qui vous entourent? Vous vous exposez à l'échec en vous demandant l'impossible! Qui peut TOUJOURS paraître au mieux? Est-ce que vous jugeriez très sévèrement quelqu'un qui aurait eu de la difficulté à bien placer ses cheveux un matin, ou une amie qui a un bouton sur le bout du nez? Il serait plus sain de vous dire : « J'aime bien paraître, mais je ne suis pas toujours obligé d'être parfait. Je suis le seul à me mettre de la pression et je n'ai pas à faire ça. C'est correct d'avoir l'air acceptable sans avoir l'air exceptionnel. »

Les messages véhiculés par les médias éliminent toute possibilité d'être satisfait de mon apparence

Avec cette croyance, vous vous placez encore dans une position de victime. Comme si vous vous disiez : « pauvre petit moi »! C'est vrai que les images des médias nous envoient des messages forts et nuisibles à propos de l'apparence. On tente de nous convaincre qu'il y a seulement deux façons d'être heureux et d'avoir du succès : 1) être né beau ou 2) acheter tous les produits et les services conçus pour rendre plus beau. Il est évident que les images véhiculées par les médias rendent l'acceptation de votre apparence plus difficile. Mais difficile ne veut pas dire impossible! Vous ne pouvez pas contrôler les images qu'on vous présente, mais personne ne vous menace d'un fusil sur la tempe en vous disant : « Crois et fais tout ce qui est dit dans ces messages »! Ce que vous croyez et ce que vous faites de ces messages vous appartiennent. C'est votre choix! Notre société et les médias pourraient faire des efforts, mais ce sur quoi vous avez le plus de pouvoir, c'est sur vous-même et vos croyances! Vous n'avez pas à être une victime de la mode! Travaillez sur votre discours intérieur en vous disant : « Je ne suis pas obligé d'accepter les modèles qu'on nous présente. J'ai le choix de m'accepter comme je suis. Ils ne peuvent me dicter quoi penser! »

La seule façon d'aimer mon apparence, c'est de la changer

Cette croyance amène les gens à se tourner vers des solutions extrêmes pour changer leur apparence. Cela amène les gens à se mettre au régime, à faire de l'exercice excessif, à s'acheter des crèmes antirides ou anticellulite coûteuses ou à subir des chirurgies esthétiques. Pour plusieurs personnes, les changements radicaux du corps n'amènent qu'un soulagement superficiel. Même après la meilleure chirurgie, si un individu continue d'avoir des croyances qui l'amènent à être perfectionniste (des croyances de type « je dois absolument… »), il risque de revivre rapidement d'autres insatisfactions. La vérité est qu'il faut toujours tenter d'améliorer notre image corporelle avant de se tourner vers des solutions radicales de changement du corps. Dites-vous : « J'ai dépensé trop d'argent, de temps et d'énergie à tenter de changer mon apparence. Je dois maintenant me concentrer sur les vrais problèmes et les vraies solutions. Changer mon apparence peut faire du bien pour un moment, mais ça ne durera pas. Je chercherai toujours d'autres façons de mieux paraître. Je dois apprendre à m'accepter et à m'aimer tel que je suis. Ça, c'est un VRAI changement! »

Voilà donc comment vous pouvez remettre en question vos croyances… Je ne vous ai fait que de simples suggestions, mais je suis certaine que vous pouvez vous-même penser à d'autres façons de remettre vos croyances en question, de trouver des croyances plus près de la réalité. Voici l'espace pour le faire.

Exercice

Je questionne mes croyances

Croyances	Remise en question : • Quelles preuves ai-je pour ou contre? • Où se situe mon pouvoir d'action? • Est-ce que je juge les autres aussi sévèrement?
Les gens attirants ont toutes les possibilités.	
La première chose que les gens remarqueront à propos de moi est ce qui cloche dans mon apparence.	
L'apparence révèle la personne intérieure.	
Si j'avais l'apparence que je souhaite, ma vie serait plus heureuse.	
Si les gens voyaient ce dont j'ai vraiment l'air, ils m'aimeraient moins.	
En contrôlant mon apparence, je peux contrôler mes émotions et ma vie sociale.	
Mon apparence est responsable de ce qui m'arrive dans la vie.	
Je devrais toujours faire tout ce que je peux pour avoir la meilleure apparence possible.	
Les messages véhiculés par les médias éliminent toute possibilité d'être satisfait de mon apparence.	
La seule façon d'aimer mon apparence, c'est de la changer.	

Développer un nouveau discours intérieur par rapport aux situations difficiles, travailler sur les pensées et les distorsions cognitives

J'imagine qu'en lisant le titre de cette section, vous vous dites : « Je viens tout juste de lire toute une section de chapitre sur comment remettre en question mes croyances… elle se répète, D^re Nadia! » Eh non! Je ne me répète pas, puisque les croyances (ou les schémas) ne sont pas tout à fait la même chose que les pensées ou les distorsions cognitives. En fait, ces deux éléments sont reliés. Les croyances sont des idées générales qui ont été forgées en grande partie par vos expériences du passé et qui dirigent votre perception des situations et votre pensée. Les distorsions cognitives sont des pensées spécifiques à certaines situations et représentent votre discours intérieur. Autrement dit, les croyances sont un peu comme un programme informatique qui gère votre pensée. Les distorsions sont les messages négatifs qui en ressortent.

Identifier les distorsions

Avant d'éliminer vos distorsions cognitives pour les remplacer par un discours intérieur réaliste et rationnel, vous devez d'abord identifier vos distorsions. Thomas F. Cash (1997) a défini huit grandes distorsions cognitives de base en ce qui concerne l'image corporelle :

La belle et la bête

Cette distorsion survient lorsque votre pensée est de type « tout ou rien ». Par exemple : « Si mon poids n'est pas parfait, alors je suis une grosse toutoune. » ou « Si mes cheveux ne sont pas placés parfaitement, alors j'ai l'air d'un épouvantail. » Cette distorsion vous amène à voir tout en noir ou en blanc. Vous oubliez qu'il y a plusieurs niveaux de gris, ce qui vous amène des pensées exagérées.

Les comparaisons injustes

Cette distorsion consiste à comparer votre apparence à des modèles irréalistes. Lorsque vous vous comparez à ces modèles, vous êtes automatiquement perdant. Il existe trois types de comparaisons injustes :

● ● ● ● *Comparaisons de votre apparence avec vos propres idéaux physiques personnels :*
● Ces pensées commencent toujours par « je souhaiterais… » ou « je suis trop… »

- - - - *Comparaisons avec les images des médias :*

- À moins de pouvoir modifier une de vos photos grâce à un logiciel ultra-sophistiqué, vous sortirez toujours perdant de cette forme de comparaison. Les mannequins sont payés pour être beaux. Ils n'ont que ça à faire de leur journée : entraîneur privé, maquilleur, esthéticienne, nutritionniste, chef cuisinier… Et en plus, leurs photos sont retouchées!

- - - - *Comparaisons avec de vraies personnes :*

- Ces comparaisons sont biaisées si vous vous comparez seulement aux gens qui ont les attributs physiques que vous souhaiteriez avoir. Si vous vous comparez aux grandes femmes, vous vous verrez toujours comme étant petite.

Si vous ruminez trop souvent cette distorsion, vos pensées contiennent beaucoup de « je dois » ou de « il faut absolument ». Non seulement ces distorsions vous amènent des émotions négatives par rapport à votre corps, mais elles vous font également sentir de la jalousie ou de l'intimidation par rapport aux belles personnes qui vous entourent.

Le miroir grossissant

Cette distorsion représente ce que certains psychologues appellent « l'attention sélective ». Vous vous concentrez sur un aspect de votre apparence et vous l'exagérez. Tout ce que vous voyez est un gros défaut. Comme si toute votre apparence se résumait à ce défaut. Cette distorsion vous amène également à minimiser vos qualités physiques positives. Vous n'appréciez plus les caractéristiques qui vous rendent attirant aux yeux des autres. Ce qui peut vous amener à avoir cette distorsion, c'est la peur d'être vaniteux ou prétentieux. Si vous vous surprenez à avoir une perception positive de votre apparence, vos distorsions vous fouettent d'un sentiment de culpabilité!

Le jeu du blâme

Vous pensez que les attributs physiques que vous n'aimez pas sont directement responsables de vos difficultés et de vos insatisfactions. Vous avez besoin de blâmer quelque chose pour vos problèmes et comme vous percevez déjà votre apparence comme quelque chose qui vous fait souffrir, votre apparence devient immédiatement la cible de votre blâme. « Si je n'avais pas l'air si _____, alors _____ ne me serait pas arrivé ». Il est vrai qu'être grande peut aider à jouer au basketball, qu'être une belle grande blonde peut vous aider à obtenir un emploi de réceptionniste dans une firme de communication… Mais blâmer votre apparence pour toutes vos difficultés est une erreur.

Les fausses interprétations de pensées

« Si je crois que je n'ai pas une belle apparence, alors les autres doivent également penser que je ne suis pas beau. » La vérité, c'est que les autres peuvent avoir une perception très différente de la vôtre. Les psychologues appellent ça de la projection. Vous projetez vos croyances ou vos pensées dans les pensées des autres. « Il doit trouver que j'ai de grosses hanches » : vous projetez votre perception de vos hanches dans la tête du bel homme qui se trouve devant vous! Cette distorsion et celle du jeu du blâme vont souvent de pair : afin de blâmer votre apparence pour la réaction des autres à votre égard, vous présumez de ce que ces autres peuvent penser. Vous présumez que les pensées des autres à l'égard de votre apparence sont les mêmes que les vôtres.

La boule de cristal

Le jeu du blâme et la projection sont des interprétations d'événements du passé ou du présent. Les distorsions de type « boule de cristal » sont vos prédictions par rapport à l'impact de votre apparence sur votre futur. Vous prédisez que votre apparence aura des impacts très négatifs sur votre futur, que ce soit :
- à court terme :
   « Si je vais à cette fête, personne ne s'intéressera à moi à cause de mon apparence. »
- ou à long terme :
   « Au cours de ma carrière, personne ne me prendra jamais au sérieux à cause de mon apparence. »

Ces pensées comportent souvent les mots « toujours » ou « jamais » : « Avec un corps comme le mien, je ne rencontrerai jamais un amoureux et je finirai ma vie toute seule! »

Le piège de la beauté

Vos distorsions vous emprisonnent! Vous croyez que vous ne pouvez pas faire certaines choses à cause de votre apparence. Vous limitez vos activités et vos ambitions à cause de votre image corporelle négative. Ces pensées commencent souvent par « je ne peux pas… » Vous vous empêchez d'aller à certains endroits, de faire certaines choses et d'être avec certaines personnes parce que vous pensez que vous n'êtes pas assez beau. « J'ai l'air trop _____, pour faire _____ ». Dans vos pensées, vos interdictions peuvent être temporaires : « Tant que je n'aurai pas perdu 5 kilos, je ne peux pas aller à la piscine ou aller danser! » ou permanentes : « Avec mes bras si poilus, je ne pourrai jamais porter de manches courtes. » Cette distorsion va souvent de pair avec la projection, « les autres me trouveront grosse », et la boule de cristal, « les autres m'ignoreront ».

Le miroir émotif

Les psychologues appellent souvent cette distorsion « les raisonnements émotifs ». Cela commence par une émotion intense que vous avez besoin de justifier. Cela se termine par une fausse conclusion qui justifie et intensifie votre émotion de base. Il y a trois formes de raisonnements émotifs :

- *Vous raisonnez à partir de vos émotions :* « Si je me SENS moche, c'est parce que JE SUIS moche! »
- *Plus vous vous sentez moche, plus vous vous trouvez des défauts pour justifier ce sentiment.* Ainsi, le défaut qui vous dérange le plus vous fait trouver de nombreux autres défauts.
- *Vous êtes anxieux ou de mauvaise humeur pour une raison qui n'a rien à voir avec votre apparence.* Ces émotions négatives déclenchent ensuite votre discours intérieur relié à votre image corporelle.

Avez-vous reconnu certaines parties de votre discours intérieur dans les descriptions de certaines distorsions cognitives? Si oui, ne vous en faites pas… Tous les êtres humains peuvent avoir des distorsions cognitives! Même les psychologues qui conseillent leurs clients sur la façon de remettre en question leurs distorsions peuvent eux-mêmes en avoir…

Mais à partir du moment où vous avez identifié ces distorsions, vous pouvez diminuer l'impact que celles-ci ont sur vos émotions et vos comportements, en tentant de développer un discours intérieur plus réaliste. Vous n'êtes pas obligé de subir ce discours intérieur négatif et faux. En fait, les distorsions sont :

- fausses ou exagérées;
- paralysantes;
- décourageantes.

Est-ce que vous devez simplement substituer des pensées positives à vos pensées négatives? Oh que non! Ce n'est pas aussi simple que ça… sinon, vous n'auriez pas vraiment besoin de ce livre pour savoir comment y arriver! Donc, il ne s'agit pas de remplacer votre discours intérieur par des pensées positives tout aussi irréalistes que vous ne croiriez même pas. Les psychologues appellent cela de la « pensée magique » et cela peut être tout aussi néfaste que les distorsions cognitives. Comme pour les croyances, il s'agit de jouer au détective avec vos pensées, en cherchant les preuves qui les appuient et les preuves qui les contredisent. Il ne faut donc pas prendre vos pensées automatiques pour des vérités absolues, parce que dans la vie, tout est relatif!

Remettre en question les distorsions

En fait, vous devez remettre en question vos pensées automatiques et répondre par un discours intérieur plus réaliste, comme si deux petites voix se chamaillaient en vous.

Voici quelques suggestions pour vous aider à remettre en question vos distorsions.

La belle et la bête

Forcez-vous à voir les choses sur un continuum… en nuances de gris. Si votre apparence ne correspond pas à un 10/10, cela ne veut pas dire qu'elle correspond à un 1/10! Si vous n'êtes pas totalement parfait, cela ne veut pas dire que vous êtes totalement imparfait. Vous avez des attributs qui rehaussent votre apparence. Demandez-vous : Ai-je des preuves qui contredisent ma pensée? Ai-je déjà eu des compliments? Ai-je déjà été satisfait de mon apparence, sans nécessairement me trouver beau à 100 %?

Les comparaisons injustes

Remplacez vos « je devrais, il faut » par un discours moins exigeant : « Ce serait bien si j'avais de plus gros seins, mais j'ai quand même une assez belle apparence et je refuse de me diminuer juste parce que je n'ai pas parfaitement l'air d'un mannequin de magazine. » ou « Je n'ai pas besoin d'être parfait pour être une apparence attirante! » Personne n'est parfait, même les mannequins utilisent du maquillage et Photoshop! Le compliment que vous faites mentalement ou intérieurement à quelqu'un d'autre n'a pas à correspondre à une critique de vous-même. De plus, si vous devez vous comparer, soyez juste! Trouvez aussi les gens que vous trouvez moins beaux que vous! Dites-vous : « Même si je suis moins beau que cette personne, est-ce que j'ai une qualité pour laquelle je suis comparable ou supérieure à elle? »

Le miroir grossissant

Lorsque vous pensez à vos amis ou à votre amoureux, est-ce que vous exagérez leurs défauts et minimisez leurs qualités dans votre esprit? Non? Alors, pourquoi le faire à vous-même? Demandez-vous : « Est-ce que je ne me concentre que sur les parties de mon apparence que je n'aime pas en oubliant les parties qui sont correctes? »

- « Je n'ai pas que des défauts, j'aime _____. »
- « Peut-être que je n'aime pas _____, mais les autres voient plus que ça en moi! »

Évitez de vous donner des noms et adoptez des expressions plus objectives pour vous décrire :
- « J'ai une petite poitrine » au lieu de « Je suis plate comme une planche à repasser ».
- « J'ai de longs pieds » au lieu de « J'ai des pieds de clown ».

Lorsque vous vous surprenez à vous critiquer, interrompez vos pensées et dites-vous : « Je vais m'excuser à moi-même, me sourire dans le miroir, et me trouver un compliment ».

Le jeu du blâme

Dites-vous : « Bien des suspects ne sont pas coupables. », « Je blâme mon physique simplement parce que je ne l'aime pas. », « Est-ce qu'il y a une autre cause possible à mon problème? », « Qu'est-ce qui me prouve que mon apparence est responsable de tout ce qui m'arrive? », « N'ai-je pas plus de contrôle sur ma propre vie? », « Je vais me concentrer sur ce sur quoi j'ai réellement du pouvoir. »

Enfin, même si une ou deux personnes vous ont réellement rejeté pour votre apparence, l'opinion d'une personne n'est pas l'opinion de tout le monde!

Les fausses interprétations de pensée

Gardez vos pensées pour vous-même! Ne les attribuez pas aux autres! Admettez que vous présumez parfois de la perception des autres. Acceptez ensuite la réalité : « Même si je suis excessivement brillant, je n'ai pas le pouvoir de lire les pensées des autres! » Au lieu de vous concentrer sur ce que les autres pourraient penser, vous devriez vous concentrer sur ce que vous contrôlez vraiment : vos propres pensées.

Est-ce que vous avez des preuves du contraire? Est-ce que cette personne vous a déjà complimenté, est-ce qu'elle vous a déjà rassuré sur votre apparence? Est-ce que d'autres facteurs peuvent expliquer l'attitude des autres à votre égard? Si vous ne vous trouvez pas beau, se peut-il que vous soyez distant avec les autres, et que ce soit cette distance qui influence leur opinion à votre égard?

La boule de cristal

Vous sautez aux conclusions sans aucune preuve! Comment pouvez-vous savoir que vos pires craintes deviendront réalité? La pire chose qui risque d'arriver, c'est l'inconfort que vous vous imposez par votre autocritique! Au lieu de faire de fausses prédictions, tentez de diminuer votre hyperconscience de vos défauts; relaxez, vous savez comment faire maintenant! Au lieu de vous dire : « Personne ne m'aimera! », dites-vous : « Je m'inquiète de ne pas être aimé ». Vous ne connaissez pas le futur, tout ce que vous connaissez, c'est votre anticipation. Dans le passé, est-ce que toutes vos prédictions pessimistes se sont avérées exactes? Pensez aux moments où les événements ont mieux tourné que vous ne l'aviez anticipé. Dites-vous : « Il vaut mieux cesser de m'inquiéter du futur et plutôt me concentrer sur ce que je contrôle maintenant. »

Le piège de la beauté

Si vous évitez d'aller à la piscine ou au centre de conditionnement physique tant que vous ne perdez pas de poids, vous nuisez à cette perte de poids! Demandez-vous pourquoi vous ne pouvez pas faire telle ou telle chose. Lorsque votre première pensée est : « Je ne peux le faire. », répondez en vous disant : « Comment pourrais-je y arriver? », « Qu'est-ce qui me faciliterait la tâche? » Vous pouvez faire de la relaxation ou des exercices de respiration avant, pendant et après l'activité que votre distorsion vous pousse à éviter. Pensez que d'autres personnes qui sont loin d'être physiquement parfaites participent à cette activité. Rappelez-vous toutes les choses que vous avez accomplies et que vous aviez initialement envie d'éviter. Comment vous sentiez-vous lorsque vous avez surmonté les obstacles?

Le miroir émotif

Réalisez que faire une obsession de votre apparence ne règle pas votre problème, il le crée ou le maintient. Dites-vous : « STOP! », « Je ne me sens pas très attirant en ce moment, ce n'est donc pas un bon moment pour évaluer mon apparence physique ». Demandez-vous si quelque chose d'autre vous dérangeait avant que vous vous inquiétiez de votre apparence. Ensuite, dites-vous : « Ce n'est peut-être pas mon apparence qui est la cause de ma mauvaise humeur. », « Je n'ai pas eu une bonne journée aujourd'hui. Ça n'a rien à voir avec mon apparence réelle. » Remplacez les « je suis » par des « je me sens ». Au lieu de dire : « Je suis laide », dites-vous : « Je ne me sens pas à mon avantage dans ce pantalon ».

Encore une fois, ce ne sont que des suggestions, rien ne vaut le fait de questionner vous-même vos pensées. Pour arriver à le faire de plus en plus facilement, il n'y a rien de mieux que de s'exercer! Voici un journal de bord que vous pourrez remplir chaque jour durant une semaine. Il vous servira à identifier :

- les situations qui vous ont obligé à faire face à votre apparence;
- vos pensées automatiques (ce que vous vous êtes dit dans votre tête);
- le type de distorsion correspondant à votre pensée automatique;
- un discours intérieur plus rationnel et réaliste, que vous trouverez après avoir remis votre première pensée en question.

Journal de bord

Identification et remise en question des pensées automatiques

DATE	SITUATION	PENSÉE AUTOMATIQUE	DISTORSIONS (numéro)	ÉMOTION	RÉPONSE RATIONNELLE
02-05-07	On m'invite pour aller à la plage.	Je suis moche… Tout le monde verra mon gros corps blanc qui a l'air d'une baleine se parader sur la plage, les gens riront de moi. Je ne peux pas y aller	n° 5, n° 6, n° 7	Triste Découragé Déprimé	Je suis en train d'essayer de prédire le futur et de lire les pensées des autres. Ce n'est pas parce que je me sens moche que tout le monde me trouvera moche. Et puis, si je me trouve blanche, voilà l'occasion de prendre un peu de soleil. Si je me trouve moche, voilà l'occasion de m'accrocher un sourire aux lèvres!

Identification et remise en question des pensées automatiques

DATE	SITUATION	PENSÉE AUTOMATIQUE	DISTORSIONS (numéro)	ÉMOTION	RÉPONSE RATIONNELLE

Identification et remise en question des pensées automatiques

DATE	SITUATION	PENSÉE AUTOMATIQUE	DISTORSIONS (numéro)	ÉMOTION	RÉPONSE RATIONNELLE

Travailler ses comportements… éviter l'évitement

Vous avez appris à développer un certain contrôle sur vos croyances et vos pensées. Déjà, c'est un bon début, car cela veut dire que vous pouvez également avoir un meilleur contrôle sur vos émotions. Attaquons-nous maintenant aux comportements qui maintiennent votre image corporelle négative!

Depuis que votre image corporelle est devenue négative, vous avez probablement développé des comportements d'autodéfense, c'est-à-dire qu'il est possible que vous tentiez d'éviter ou de fuir les situations provoquant des émotions négatives en lien avec votre apparence. Ces comportements ne sont pas orientés vers l'obtention de plaisir, mais plutôt vers l'évitement de l'inconfort. Malheureusement, ces comportements traduisent le rejet de soi, comme si vous rejetiez votre apparence. Ironiquement, cette attitude mine votre image corporelle et votre estime de vous-même. Les comportements d'évitement en lien avec l'image corporelle peuvent prendre trois formes différentes :

• fuir;
• soigner votre apparence à outrance;
• vérifier votre apparence à outrance.

Fuir

La fuite correspond simplement au fait d'éviter des activités, des lieux, des gens, des gestes ou des postures qui vous font sentir plus conscient de votre apparence ou qui déclenchent vos discours intérieurs et vos émotions liés à votre image corporelle négative. Voici des exemples d'éléments que vous pouvez avoir tendance à fuir. Essayez d'identifier ceux que vous fuyez le plus.

• • • • *Les activités*
• Porter des vêtements de certains styles, couleurs ou textures.
• Faire des activités physiques qui pourraient révéler certaines parties de votre corps.
• Faire des activités normales où les gens pourraient vous voir sans que votre apparence soit soignée (épicerie, poste, ouvrir la porte lorsqu'on y sonne…).
• Faire des activités qui défont votre « toilette » (ex. : vous baigner défait vos cheveux et votre maquillage).

- Manger ce que vous désirez vraiment devant les autres (ex. : restauration rapide, grosse pièce de viande, dessert), de peur que les gens vous observent et fassent un lien entre vos choix alimentaires et votre apparence.
- Examiner votre corps (miroir, photo, pèse-personne).
- Avoir certains contacts physiques (ex. : câlins, relations sexuelles).
- Passer des examens médicaux.

Les lieux

- Les endroits où votre corps est exposé (la piscine, la plage, les vestiaires…).
- Les endroits où l'on mise sur l'apparence (les galas, les lieux de rencontre).
- Les boutiques où votre apparence est exposée aux vendeurs ou aux autres consommateurs (ex. : boutique de sous-vêtements).
- Les endroits où il y a des miroirs (ex. : certains magasins, les salles de danse).
- Les endroits où il sera plus facile de voir vos défauts (ex. : les endroits éclairés par des néons).

Les gens

- Les gens qui ont une apparence que vous souhaiteriez avoir.
- Les gens attirants de l'autre sexe.
- Les gens qui en font beaucoup pour bien paraître (ex. : qui font des régimes, qui s'entraînent, qui s'habillent et se coiffent avec style).
- Les gens qui parlent beaucoup de l'apparence (la leur ou celle des autres).
- Les gens qui pourraient vous faire des commentaires sur votre apparence (ex. : membres de la famille élargie).

Les gestes ou les postures :

- L'endroit ou la façon où vous vous assoyez, où vous vous tenez debout (ex. : croiser les jambes permet d'éviter que les cuisses s'écrasent sur la chaise, la jambe a ainsi l'air plus mince).
- Des gestes qui pourraient laisser paraître vos défauts (ex. : sourire montre vos dents et vos rides, certains mouvements des mains montrent vos doigts trop petits ou vos ongles cassés).
- Des positions sexuelles permettant à votre partenaire de voir des parties de votre corps que vous n'aimez pas.

Soigner votre apparence à outrance

Il n'y a rien de mal à prendre soin de son apparence! Mais chez certaines personnes, certains rituels de préparation ou de mise en beauté peuvent devenir obsessifs. Cela peut être un signe d'une image corporelle négative puisque ces rituels peuvent souvent servir à camoufler les défauts de l'apparence. Une personne bien dans sa peau peut aimer le fait de soigner son apparence, mais elle ne dépendra d'aucun de ces rituels pour être à l'aise. Ces rituels de préparation seront un petit extra pour bien traiter son corps, mais ne deviendront pas une obligation ou une façon d'éviter un malaise.

Chez les personnes qui souffrent d'une image corporelle négative, les rituels visant à soigner leur apparence peuvent donc impliquer des efforts méticuleux pour modifier leur apparence. L'enjeu n'est donc pas de mettre en lumière ses plus beaux atouts, mais bien de cacher ses pires défauts. Voyez-vous la nuance entre les deux? Souvent, ces personnes doivent exécuter les mêmes étapes avec beaucoup de précision afin d'être satisfaites (ou à peu près) de leur apparence. Certaines situations peuvent leur demander encore plus d'efforts pour choisir ce qu'elles vont porter.

Voici des signes indiquant qu'une personne tombe dans l'excès lorsqu'elle soigne son apparence. Si c'est le cas, tentez d'identifier les signes qui se rapprochent de vos comportements :

- à la maison, sortir de la salle de bain et s'habiller se fait rarement à temps;
- vous vous pomponnez plus que vous le voulez vraiment. Rationnellement, vous savez que vous êtes bien, mais émotivement, vous sentez que vous n'êtes pas encore prêt à sortir;
- différentes situations vous demandent de vous changer. Si vous ne vous changez pas, vous craignez de ne pas avoir l'air approprié;
- les gens dans votre maison passent des commentaires sur le temps que vous mettez à vous préparer. Cela peut être des taquineries, mais également des signes de colère;
- vous achetez beaucoup de vêtements, de bijoux et de produits que vous n'utilisez que rarement ou jamais;
- avant de sortir, vous changez de vêtements ou vous vous recoiffez plusieurs fois avant d'être enfin satisfait;
- lorsque vous vous regardez dans le miroir, vous ajustez toujours quelque chose de votre apparence, même si rien ne clochait;

- vous faites régulièrement des modifications majeures à votre apparence, de type « métamorphose »;
- vous sentir gros ou prendre quelques kilos vous amène impulsivement à faire un régime ou à restreindre votre alimentation (sans que cela soit un réel changement de mode de vie);
- vous sentir gros ou prendre quelques kilos vous amène impulsivement à faire des exercices plus intensifs chaque jour (sans que cela soit un réel changement de mode de vie).

Vérifier votre apparence à outrance

Si vous avez lu le tome 2 de la collection *Vive la vie… en famille* (*Maman j'ai peur, chéri je m'inquiète*), vous savez que le trouble de l'anxiété généralisée est caractérisé par des inquiétudes excessives et par de l'intolérance à l'incertitude. Les personnes qui en souffrent ont tendance à toujours s'imaginer les pires scénarios négatifs : « Si je laisse mon enfant aller au parc avec ses amis, il pourrait tomber et se faire mal, il pourrait se faire enlever, il pourrait se perdre… »

Les gens qui ont une image corporelle négative ont souvent tendance à s'inquiéter par rapport à leur apparence. Sans nécessairement souffrir de tous les symptômes du trouble d'anxiété généralisée, ils ruminent beaucoup d'inquiétudes par rapport à leur image physique, ce qui augmente leur niveau d'anxiété. Pour se soulager en diminuant ce niveau d'anxiété, ils auront parfois tendance à vérifier leur apparence de manière excessive. Ce comportement ressemble également à certains symptômes du trouble obsessif-compulsif qui se caractérise par des pensées intrusives (obsessions) qui sont neutralisées par l'individu à l'aide de rituels obsessifs (ex. : tels que la vérification).

Autrement dit, la simple pensée intrusive que quelque chose pourrait clocher dans leur apparence inquiète ces personnes au plus haut point. Leurs pensées leur disent donc : « vérifie, au cas où ». Le but des comportements de vérification est d'obtenir un soulagement aux inquiétudes non fondées par rapport à leur apparence. C'est l'intolérance à l'incertitude qui les amène à vérifier pour un tout petit 0,01 % de doute sur leur apparence, même s'ils sont certains à 99,99 % que leur apparence est satisfaisante.

Voici des signes de vérification à outrance de l'apparence. Tentez d'identifier si certains d'entre eux correspondent à certains de vos comportements :

- vous avez des pensées intrusives qui vous poussent à vérifier votre apparence. Vous avez de la difficulté à vous débarrasser de ces pensées tant que vous n'avez pas vérifié;
- chaque fois que vous passez devant un miroir, vous ne pouvez vous empêcher de vérifier votre apparence;
- vous visitez régulièrement la salle de bain avec la seule intention de vérifier votre apparence, même si vous n'avez aucune raison de croire que quelque chose ne va pas;
- si vous vous inquiétez pour votre poids, vous vous pesez très fréquemment. Partout où un pèse-personne est disponible, vous ne pouvez résister à la tentation de vous peser;
- vous demandez régulièrement l'opinion des autres sur votre apparence pour être rassuré : « Est-ce que je suis correct? Es-tu sûr? Es-tu vraiment sûr? Es-tu vraiment VRAIMENT sûr? »;
- dans les situations sociales, vous vous comparez constamment aux autres pour être encore plus certain que votre apparence est acceptable.

Vous savez maintenant comment agir sur vos croyances et vos pensées, mais que faire avec ces comportements d'évitement?

Comme les comportements d'évitement maintiennent vos fausses perceptions, l'isolement social, une faible estime de soi et une image corporelle négative, il est évident qu'il faut s'en débarrasser… mais comment?

Eh bien, pour cesser d'éviter, il faut tout simplement s'exposer aux situations normalement évitées… Mais attention! Pas n'importe comment! Il faut respecter votre rythme en vous exposant graduellement aux situations normalement évitées. Faites la liste de tous vos comportements d'évitement (à l'aide des exemples cités précédemment) et tentez de déterminer pour chacun le niveau d'inconfort anticipé si vous les cessiez. Voici l'espace nécessaire pour le faire.

Comportements d'évitement	Niveau d'inconfort anticipé (0 à 10)

Une fois cette liste complétée, placez ces comportements en ordre croissant de difficulté anticipée afin de construire ce que j'appelle votre escalier de défi (des psychologues au langage plus complexe vous parleraient d'une hiérarchie d'exposition!).

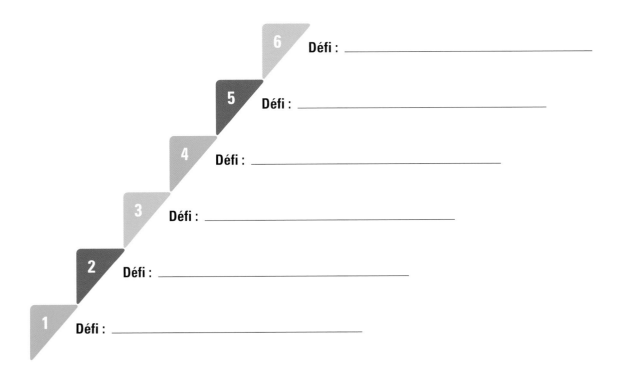

6 Défi : _____

5 Défi : _____

4 Défi : _____

3 Défi : _____

2 Défi : _____

1 Défi : _____

Affrontez une situation à la fois, en commençant par la plus facile. Vous n'êtes pas complètement dépourvu devant cette tâche, puisque pour vous aider, vous avez préalablement appris des techniques de respiration et de relaxation. Vous avez également remis en question vos croyances et vos distorsions afin de développer un discours intérieur plus réaliste et plus rassurant. Tous ces apprentissages devraient vous aider à affronter ces défis, à petits pas. Soyez indulgents envers vous-même et respectez votre rythme… mais n'évitez plus! Le plus petit exercice d'exposition vous fera beaucoup plus de bien que le plus grand comportement d'évitement. Afin de réaliser les progrès que vous faites et de bien adapter votre plan d'exposition à votre rythme personnel, prenez le temps de remplir la fiche suivante (précédée d'un exemple de fiche complétée) pour chaque exercice d'exposition :

Exemple
Plan d'exposition – défi n° 1

AVANT L'EXERCICE :

- Comportement d'évitement :

  Éviter le centre de conditionnement physique.

- Plan pour affronter le défi :

  Qu'est-ce que je ferai exactement?

  J'irai au centre de conditionnement physique quand il n'y aura pas trop de monde. Je vais augmenter graduellement la durée de mon entraînement. Éventuellement, j'irai même lorsqu'il y aura beaucoup de monde. Je me concentre sur ma santé et non sur l'apparence des autres.

- Agir : où, quand, combien de temps, que ferais-je si je deviens « poule mouillée »?

  J'irai à la salle de cardio quatre fois par semaine. J'augmenterai la durée de 5 minutes chaque fois jusqu'à une durée d'un entraînement complet. Si je me sens poule mouillée, je n'ai qu'à penser à la récompense que je m'autoriserai après.

- Gérer les pensées et les émotions : quelles pensées et émotions négatives puis-je anticiper? Comment puis-je les gérer?

  J'aurai tendance à être hyperconscient de mon apparence et je me comparerai aux autres. Je n'aurai qu'à me concentrer sur mes exercices et à écouter la musique dans mon lecteur MP3. Je peux également me concentrer sur ma respiration. Enfin, je peux faire un exercice de remise en question de mes pensées, en m'inspirant du discours intérieur positif que j'ai trouvé pour la distorsion de type « comparaisons injustes ».

- Savourer la réussite : comment pourrais-je récompenser mes efforts?

  Prendre un bon bain avec de la mousse et de la bonne musique, dès mon retour à la maison.

APRÈS L'EXPOSITION :

- Quels sont les résultats?

  J'ai réussi! Après trois semaines, je suis arrivé à faire un entraînement complet, sans me comparer aux autres dans le « gym » et je me sens plus en santé!

À VOUS DE JOUER À PRÉSENT!

Plan d'exposition – défi n° 1

AVANT L'EXERCICE :

- Comportement d'évitement :

_____

_____

- Plan pour affronter le défi : Qu'est-ce que je ferai exactement?

_____

_____

- Agir : où, quand, combien de temps, que ferais-je si je deviens « poule mouillée »?

_____

_____

- Gérer les pensées et les émotions : quelles pensées et émotions négatives puis-je anticiper?
  Comment puis-je les gérer?

_____

_____

- Savourer la réussite : comment pourrais-je récompenser mes efforts?

_____

_____

APRÈS L'EXPOSITION :

- Quels sont les résultats?

_____

_____

_____

Plan d'exposition – défi n° 2

AVANT L'EXERCICE :

• Comportement d'évitement :

_____

_____

• Plan pour affronter le défi : Qu'est-ce que je ferai exactement?

_____

_____

• Agir : où, quand, combien de temps, que ferais-je si je deviens « poule mouillée »?

_____

_____

• Gérer les pensées et les émotions : quelles pensées et émotions négatives puis-je anticiper? Comment puis-je les gérer?

_____

_____

• Savourer la réussite : comment pourrais-je récompenser mes efforts?

_____

_____

APRÈS L'EXPOSITION :

• Quels sont les résultats?

_____

_____

_____

Plan d'exposition – défi n° 3

AVANT L'EXERCICE :

- Comportement d'évitement :

_____

_____

- Plan pour affronter le défi : Qu'est-ce que je ferai exactement?

_____

_____

- Agir : où, quand, combien de temps, que ferais-je si je deviens « poule mouillée »?

_____

_____

- Gérer les pensées et les émotions : quelles pensées et émotions négatives puis-je anticiper? Comment puis-je les gérer?

_____

_____

- Savourer la réussite : comment pourrais-je récompenser mes efforts?

_____

_____

APRÈS L'EXPOSITION :

- Quels sont les résultats?

_____

_____

_____

Plan d'exposition – défi n° 4

AVANT L'EXERCICE :

• Comportement d'évitement :

_____

_____

• Plan pour affronter le défi : Qu'est-ce que je ferai exactement?

_____

_____

• Agir : où, quand, combien de temps, que ferais-je si je deviens « poule mouillée »?

_____

_____

• Gérer les pensées et les émotions : quelles pensées et émotions négatives puis-je anticiper? Comment puis-je les gérer?

_____

_____

• Savourer la réussite : comment pourrais-je récompenser mes efforts?

_____

_____

APRÈS L'EXPOSITION :

• Quels sont les résultats?

_____

_____

_____

Plan d'exposition – défi n° 5

AVANT L'EXERCICE :

* Comportement d'évitement :

_____

_____

* Plan pour affronter le défi : Qu'est-ce que je ferai exactement?

_____

_____

* Agir : où, quand, combien de temps, que ferais-je si je deviens « poule mouillée »?

_____

_____

* Gérer les pensées et les émotions : quelles pensées et émotions négatives puis-je anticiper? Comment puis-je les gérer?

_____

_____

* Savourer la réussite : comment pourrais-je récompenser mes efforts?

_____

_____

APRÈS L'EXPOSITION :

* Quels sont les résultats?

_____

_____

_____

Plan d'exposition – défi n° 6

AVANT L'EXERCICE :

• Comportement d'évitement :

_____

_____

• Plan pour affronter le défi : Qu'est-ce que je ferai exactement?

_____

_____

• Agir : où, quand, combien de temps, que ferais-je si je deviens « poule mouillée »?

_____

_____

• Gérer les pensées et les émotions : quelles pensées et émotions négatives puis-je anticiper? Comment puis-je les gérer?

_____

_____

• Savourer la réussite : comment pourrais-je récompenser mes efforts?

_____

_____

APRÈS L'EXPOSITION :

• Quels sont les résultats?

_____

_____

_____

Voici d'autres petits trucs pour vous aider avec vos exercices d'exposition.

- Avant de vérifier votre apparence dans le miroir ou de demander à un proche si votre apparence est adéquate, attendez! Durant cette attente, respirez, détendez-vous et parlez-vous avec votre nouveau discours intérieur.

- Diminuer graduellement le temps de « toilette » du matin, à l'aide d'une minuterie.

- Permettez-vous de demander à un proche si votre apparence est satisfaisante, mais limitez le nombre de demandes de réassurance (ex. : le matin, on ne demande pas plus de trois fois à notre parent ou à notre conjoint ou conjointe si notre apparence est correcte). Ensuite, diminuez graduellement la limite de demande de réassurance jusqu'à ce qu'elle atteigne zéro.

- Planifier les rituels de vérification et de retouches de façon précise (ex. : une fois dans le miroir de l'entrée de la maison avant de partir le matin, une fois à la fin de l'heure du lunch et une dernière fois en arrivant à la maison) au lieu de les faire au besoin, c'est-à-dire dès que le moindre petit doute vous vient en tête (ex. : retouches de maquillage, vérification dans le miroir, se peser). Apprenez à vivre dangereusement! Au fait, quels sont les risques réels d'avoir une couette de travers? Selon moi, le pire qui peut arriver, c'est qu'un camarade de classe ou un collègue de travail vous dise gentiment que le vent vous a légèrement dépeigné. Et je doute fort que vos collègues remarquent instantanément un oubli de retouche de rouge à lèvres.

Voilà qui fait le tour des démarches qui peuvent être mises de l'avant afin de vous aider à surmonter vos problèmes d'image corporelle. Pour faire un résumé, voici une liste-synthèse de ces différentes interventions. Il est recommandé de les appliquer dans le même ordre qu'elles sont proposées, puisqu'une étape représente souvent un préalable pour l'étape suivante.

- Connaissance de l'image corporelle (lire les premiers chapitres du livre) et de soi (remplir les question-naires et déterminer son profil d'image corporelle).
- Apprendre à respirer, à se détendre et se désensibiliser au miroir.
- Remettre en question les croyances liées à l'image et à l'apparence.
- Remettre en question les distorsions cognitives.
- Cesser d'éviter… en s'exposant graduellement aux situations normalement évitées.

Le présent chapitre vous a aidé à cesser ou à diminuer tout ce qui était néfaste pour votre image corpo-relle : les fausses croyances, les discours intérieurs décourageants et paralysants, les comportements d'évitement… Eh bien, le prochain chapitre vous permettra de vous tourner vers une façon plus positive de vous aider vous-même : il s'agit d'adopter des comportements positifs pour votre image corporelle.

CHAPITRE 7

Le développement d'une relation positive avec le corps

Si vous avez complété tous vos exercices d'exposition, cela veut dire qu'il y a beaucoup de comportements qui ont disparu de votre quotidien. Par quoi pouvez-vous remplacer ces comportements? Ce chapitre vous donnera quelques idées à ce sujet… En fait, vous avez passé des mois, voire des années à critiquer votre corps, à le détester, à le cacher… Maintenant que vous êtes sorti de ce mode de pensée, il est temps de vous réconcilier avec votre corps!

Ce qu'il faut comprendre avant tout, c'est que vous avez une relation avec votre corps, tout comme avec vos amis ou les membres de votre famille… Lorsque vous êtes mal dans votre peau, il est possible que vos réactions par rapport à votre corps soient négatives. Il est donc possible qu'au cours des dernières années, vous ayez eu tendance à le négliger, le maltraiter, le critiquer, le contrôler ou encore à vous montrer perfectionniste et sévère envers lui, ce qui maintient ou envenime votre relation avec lui. Autrement dit, jusqu'à maintenant, vous n'avez peut-être pas été un très bon ami pour votre corps! En tout cas, moi, je n'aurais pas voulu d'un ami qui me fasse endurer tout cela!

Êtes-vous en relation avec vos amis simplement à cause de l'absence de conflits ou de violence? Non, vous êtes en relation avec vos amis surtout à cause des aspects positifs de ces relations, par exemple les bons moments que vous passez ensemble. Éliminer vos pensées négatives et les comportements d'évitement n'est pas suffisant pour établir une relation positive avec votre corps. Il faut également planifier de bons moments avec celui-ci.

Des actions positives pour le corps

Les compliments devant le miroir

Une fois par jour, placez-vous devant le miroir, regardez-vous dans les yeux et pensez à un compliment que vous pourriez faire à votre corps. Vous pouvez vous répéter des compliments qu'on vous a déjà faits. Vous pouvez vous dire des phrases de votre nouveau discours intérieur… Dites-les même si vous ne les croyez pas à 100 %. Vous vous sentirez peut-être ridicule en faisant cela, mais dites-vous que c'est beaucoup moins ridicule que de s'autodénigrer! Il est important d'identifier et d'admirer régulièrement les parties de votre corps que vous aimez.

Inscrivez ici des compliments que vous pourriez facilement vous faire devant le miroir :

_____

_____

_____

_____

_____

Les jours de célébration du corps

Un jour par semaine, accordez une attention particulière ou un traitement particulier à un aspect de votre apparence. Par exemple, le vendredi pourrait être la célébration de vos mains!

- Débuter la journée en complimentant ou en admirant ses mains devant le miroir.
- Mettre une bague spéciale durant le jour.
- Se faire les ongles et leur appliquer un beau vernis.

Planifiez ces journées :

DATE	CARACTÉRISTIQUE PHYSIQUE CÉLÉBRÉE	ACTIVITÉS
_____	_____	_____
		_____
		_____
_____	_____	_____
		_____
		_____
_____	_____	_____
		_____
		_____

Le choix d'activités qui vous permettent de traiter positivement votre corps

Vous pouvez choisir des activités qui vous permettent de développer un sentiment sain de maîtrise de votre corps. La maîtrise produit des sentiments gratifiants d'accomplissement et d'atteinte d'objectifs, par exemple la pratique régulière d'un sport permet de sentir que nos habiletés sportives s'améliorent, que nos capacités physiques se développent. Vous pouvez également choisir des activités qui vous permettent simplement d'obtenir du plaisir par le corps. Il s'agit de trouver des activités agréables et amusantes, qui ne demandent aucune performance, par exemple un massage ou encore relaxer dans un bain chaud. Enfin, vous pouvez choisir quelques activités qui améliorent votre apparence et que vous pourrez faire à des moments précis et de manière non compulsive (pas par évitement, mais par pur plaisir), par exemple vous faire un masque, vous entraîner à coiffer vos cheveux différemment, soigner vos ongles, prendre soin de votre peau.

L'adoption de comportements positifs pour la santé et pour la forme physique

Tout ce que vous pouvez faire de bon pour votre santé risque d'améliorer votre sentiment de compétence physique et votre bien-être général. Ces améliorations peuvent indirectement améliorer votre image corporelle. En fait, l'exercice peut améliorer votre image corporelle et même votre santé mentale en général. Les chercheurs ont répertorié les quatre grandes raisons les plus populaires pour faire de l'exercice :

• pour être plus attirant et perdre du poids;

• pour améliorer la compétence physique, la forme et la santé;

• pour améliorer l'humeur et diminuer le stress;

• pour rencontrer, socialiser et avoir du plaisir avec d'autres.

Sachez que faire de l'exercice uniquement pour la beauté n'est pas une motivation saine et cette motivation risque en fait d'être temporaire. C'est la raison pour laquelle plusieurs personnes se retrouvent perpétuellement dans un cycle d'abonnement-abandon de centre d'entraînement! Faire de l'exercice physique pour améliorer la forme physique est sain, mais à moins de vouloir devenir un athlète professionnel, il ne faut pas trop se pousser ni devenir obsessif sur le plan de la performance. Sinon, le moindre échec risque de vous faire abandonner votre belle démarche de remise en forme. Les sources de motivation les plus saines et les plus durables pour faire de l'exercice sont la gestion du stress et la socialisation. Cela nous ramène donc à l'essentiel : avoir du plaisir à le faire!

Le choix d'activités qui procurent des sensations agréables

Quand je parle de sensations, je parle de celles qui proviennent de nos cinq sens… En voici quelques exemples :

• *La vue* : regarder un coucher de soleil, voir le sourire d'un enfant, admirer les couleurs des fleurs d'un jardin…

• *L'odorat* : sentir les fleurs d'un jardin, le parfum, un bon repas qui mijote…

• *Le goût* : goûter la saveur des fruits et légumes de l'été, savourer la crème glacée, déguster une bonne recette de notre mère ou de notre grand-mère…

• *L'ouïe* : entendre la musique des festivals, écouter le son des enfants qui s'amusent durant une récréation, porter attention au son de la brise dans les feuilles des arbres, écouter les oiseaux qui chantent…

• *Le toucher* : être caressé par la brise et les rayons du soleil, les câlins…

En lisant ces exemples, vous vous dites peut-être : « On dirait qu'elle veut devenir poète, la D^re Nadia »!
Mais ce n'est pas du tout ce que je tente de faire… Je veux simplement que vous réalisiez que toutes
ces belles sensations, c'est grâce à votre corps que vous pouvez les vivre quotidiennement. Ce même
corps que vous avez si longtemps détesté ou critiqué… Tentez de prendre conscience de tous les
bienfaits qu'il peut vous apporter. Cela vous aidera à mieux l'apprécier… et vous serez peut-être ensuite
moins critique à son égard.

Une façon saine de soigner votre apparence

Dans le chapitre précédent, nous avons vu que faire sa toilette peut être un comportement d'évitement… Mais soigner notre apparence peut également représenter l'affirmation d'une image corporelle
positive, car il peut s'agir d'un comportement traduisant le respect que nous avons pour notre corps.
L'important, c'est de garder un équilibre devant ces comportements et qu'ils demeurent surtout un
plaisir plutôt qu'une obligation, une dépendance ou un rituel stressant.

Le chercheur Thomas Cash (1997) a identifié trois types de « soigneur d'apparence ». En voici les descriptions.

• • • • *Le soigneur insatiable*

- Il s'agit des comportements d'évitement, tels que décrits au chapitre précédent.
- Les personnes de ce type soignent leur apparence pour éviter d'exposer leur apparence réelle.
- Les rituels de toilette sont extrêmement longs, ils sont stressants et leur semblent absolument
  nécessaires.

• • • • *Le soigneur obscur*

- Les personnes de ce type ont abandonné leur apparence en la négligeant.
- Il s'agit aussi d'un comportement d'évitement.
- Ces personnes en sont venues à croire que rien ne peut être fait pour améliorer leur apparence, ou elles
  croient qu'elles n'ont pas les aptitudes nécessaires pour y arriver.
- Elles ne veulent surtout pas attirer le regard des autres sur elles, alors elles adoptent un look « gris » ou « beige ».
- Elles peuvent parfois justifier cette attitude en se disant que les gens qui soignent leur apparence
  sont égocentriques et provocateurs.

- Ces « soigneurs » ont trouvé une saine façon de soigner leur apparence. Ils sont bien dans leur peau. Ils ne sont ni préoccupés par une toilette compulsive ni négligents par rapport à leur apparence.
- Ces gens ont découvert un juste milieu entre les deux extrêmes.
- Ces gens considèrent que leur apparence est acceptable avec une variété de « looks ». Cette attitude amène un sentiment de plaisir, de jeu et d'affirmation de soi dans le processus de la toilette.
- Soigner son apparence est un plaisir et une expérience positive, pas un devoir ou une obligation. C'est une façon d'exprimer leur individualité.

Tentez d'identifier à quel profil de « soigneur » vous ressemblez le plus. Si vous penchez vers l'un ou l'autre des deux extrêmes, tentez de retrouver un équilibre en vous inspirant du profil du « soigneur flexible ». Même si vous êtes encore dans l'adolescence et que vous n'avez pas encore l'impression d'avoir trouvé votre identité, EXPÉRIMENTEZ! C'est le bon moment pour le faire en vous amusant! Enfin, ne « travaillez » pas avec votre apparence, amusez-vous avec elle!

Améliorez votre estime de soi dans sa globalité, pas seulement l'image corporelle!

Il a été question dans le présent chapitre de bien traiter le corps et de se sentir bien dans sa peau, mais n'oublions pas que l'image corporelle n'est qu'une des multiples facettes de l'ESTIME DE SOI. Améliorer l'image corporelle permet d'augmenter le niveau d'estime de soi. Mais bien d'autres facteurs aident à développer ou à maintenir une bonne estime de soi, comme le fait d'être soutenu par ses parents, les membres de sa famille et ses amis; cesser d'être perfectionniste et avoir des attentes réalistes envers soi-même; développer ses habiletés sociales et son réseau social; pratiquer des activités qui permettent de relever des défis ou de développer des talents (sports, activités artistiques); se sentir valorisé par le bien que l'on peut faire aux autres (bénévolat)…

La liste pourrait être longue. En fait, je pourrais écrire tout un autre volume de la présente collection seulement sur le sujet de l'estime de soi! Pour le moment, retenez que plus vous multiplierez vos sources de valorisation, moins votre estime de soi dépendra de votre apparence. Créez des occasions pour prendre conscience de vos capacités, de vos talents et de vos qualités personnelles.

Ce qui est également important de retenir de ce chapitre, c'est que pour maintenir une image corporelle positive, il est important de traiter votre corps avec respect et de savoir apprécier tout ce qu'il peut vous apporter dans la vie, et ce, malgré ses petits défauts. Ne vous inquiétez pas, il vous le rendra bien!

:: Conclusion

Vous savez maintenant que l'image corporelle est un concept complexe qui comporte de multiples dimensions. Vous savez également faire la différence entre les facteurs sur lesquels nous avons peu de pouvoir en tant qu'individu et ceux que nous pouvons bien contrôler, si nous nous donnons la peine d'apprendre comment y arriver. Ceux qui parmi vous sont parents savent maintenant qu'ils ont un pouvoir de prévention en favorisant l'estime de soi et les expériences corporelles positives chez leurs enfants. Les parents doivent également tenter de devenir des modèles d'image corporelle positive. Les adultes et les adolescents qui ont lu ce livre savent également qu'ils ont un pouvoir sur leurs croyances, leurs pensées, leurs émotions et leurs comportements liés à leur image corporelle.

Je souhaite que parmi vous, les lecteurs, se trouvent de nombreux professionnels de la santé. En effet, les médecins généralistes et de différentes spécialités ont souvent des patients qui sont aux prises avec des problèmes d'image corporelle. Pensez aux dermatologues et leurs patients qui ont des problèmes de peau, aux dentistes dont les patients peuvent être complexés par leur sourire, aux gynécologues-obstétriciens dont les patientes voient leur corps transformé par la grossesse, aux médecins oncologues qui rencontrent quotidiennement des patients dont l'apparence a été radicalement transformée par le cancer et les traitements de chimiothérapie ou de radiothérapie, aux médecins travaillant auprès de personnes souffrant du SIDA, aux patients qui ont des malformations congénitales, aux grands brûlés, aux amputés… Ces patients peuvent parfois éviter certaines visites médicales à cause de leurs complexes. D'autres peuvent également vivre des sentiments d'anxiété ou de dépression les privant ainsi d'une énergie qui aurait pu servir à combattre la maladie. Pensez aux médecins traitant l'obésité, aux entraîneurs travaillant dans des centres de conditionnement physique, aux physiothérapeutes, aux massothérapeutes, aux sexologues… Ce sont tous des professionnels travaillant auprès d'une clientèle pouvant vivre des complexes physiques et dont le succès du traitement peut dépendre en partie d'une amélioration de l'image corporelle. Songez surtout aux chirurgiens esthétiques, dont le travail est directement relié à l'image corporelle de leurs patients, que ce soit des patients qui ont de légers complexes, qui souffrent du trouble de dysmorphie ou encore qui sont nés avec des malformations ou qui ont été victimes d'accidents laissant de profondes cicatrices. Selon moi, tous ces professionnels devraient obtenir une formation plus ou moins intensive sur le développement de l'image corporelle et ses différents impacts afin d'adapter leur pratique aux complexes physiques que peuvent vivre leurs patients ou leurs clients.

De façon générale, cher lecteur, même si ce livre vous a donné l'impression de pouvoir développer une image corporelle positive, soyez tout de même réaliste! Avoir une image corporelle positive est un équilibre difficile à atteindre. Même si vous appliquez tous les exercices suggérés dans ce livre, vous serrez toujours comme un funambule sur un fil de fer… Il vous faudra constamment vous adapter et appliquer les exercices proposés aux chapitres 6 et 7 de ce livre, puisque votre corps vieillira et subira des changements tout au long de votre vie. Nous avons mentionné qu'un des moments de la vie où les changements du corps se font le plus rapidement et où l'image corporelle est la plus menacée est l'adolescence. Mais vieillir et avoir des cheveux blancs et des rides n'est guère facile de nos jours… C'est comme si nous n'avions plus le droit de laisser vieillir le corps. Il y a tellement de moyens offerts par l'industrie de la beauté pour ne pas laisser paraître le vieillissement que ce qui était considéré autrefois comme un signe de sagesse peut maintenant être considéré comme un signe de négligence de l'apparence.

Si vous n'aviez que quelques lignes à retenir de ce livre, ce devrait être celles où je vous ai suggéré de respecter votre corps, puisque c'est lui qui vous permet de célébrer pleinement le fait d'être en vie. Faites-en votre meilleur ami, c'est celui dont vous êtes sûr qu'il vous accompagnera jusqu'à la fin de vos jours! Ne tombez pas dans les pièges que vous tendent les messages véhiculés dans la société, concentrez-vous sur votre bien-être et sur celui de vos proches. Soyez indulgent envers vous-même si vous vivez parfois de petites « rechutes » d'image corporelle négative; cela risque d'arriver chaque fois que vous remarquerez un changement sur votre corps, puisqu'un changement demande une adaptation.

Finalement, je vous souhaite d'être un jour capable de vous mettre complètement nu devant un miroir et de dire « Miroir, miroir… regarde comme je suis beau ou belle! »

Quelques ressources utiles...

HÔPITAUX ET CLSC

Les CLSC représentent LA ressource locale par excellence pour obtenir de l'aide. On peut y évaluer votre situation familiale et ensuite vous orienter vers les services appropriés accessibles dans votre communauté. En cas de situation de crise, vous pouvez également consulter le centre hospitalier de votre région où des équipes multidisciplinaires peuvent prendre les problèmes plus lourds en charge, que ce soit en département psychiatrique ou encore en consultation clinique externe.

Plusieurs centres hospitaliers du Québec ont une clinique des troubles de l'alimentation :

HÔPITAL DOUGLAS : Clinique des troubles de l'alimentation : Centre hospitalier qui offre des services internes et externes aux personnes qui vivent un trouble de l'alimentation. Les personnes doivent être âgées de 17 ans et demi et plus et une référence médicale est nécessaire. www.douglas.qc.ca

CENTRE AMBULATOIRE RÉGIONAL DE LAVAL (CARL) - Programme de santé des femmes : Centre hospitalier qui offre un suivi infirmier et psychologique aux 16-24 ans, de la région de Laval et les environs. Les personnes doivent déjà être suivies par un médecin. www.cssslaval.qc.ca

CENTRE HOSPITALIER DE L'UNIVERSITÉ LAVAL : Programme des conduites alimentaires (PITCA) Centre hospitalier qui offre des services internes et externes aux personnes qui vivent un trouble de l'alimentation. Les personnes doivent être âgées de 17 ans et demi et plus et demeurer dans la région de Québec. Une référence médicale est nécessaire. www.pitca.com

LIGNE TÉLÉPHONIQUE ET INFORMATIONS POUR PARENTS

Dans les moments difficiles, il peut être utile de pouvoir parler à quelqu'un d'objectif, qui a du recul par rapport à notre situation. Obtenir de l'information sur la santé des enfants est tout aussi efficace, car parfois, les problèmes de santé physique peuvent affecter les émotions des enfants.

- Ligne Parents (en tout temps) : 1 800 361-5085; 514 288-5555
- La Parenterie 514-385-6786
- Centre d'information sur la santé de l'enfant de l'Hôpital Sainte-Justine : 514 345-4678 www.hsj.qc.ca/CISE/

Les enfants aussi peuvent avoir parfois besoin de parler à quelqu'un d'objectif... cette ressource est excellente!

- Tel-jeune (en tout temps) : 1 800 263-2266; (514) 288-2266

Pour les gens de la région de Montréal et les environs, cette ressource permet de trouver TOUTES les ressources... ou presque! C'est un numéro précieux à conserver. 514 527-1375

Plusieurs organismes offrent des services aux personnes souffrant de troubles alimentaires ou d'autres problématiques liées à l'image corporelle :

- **ANEB Québec** (Association Québécoise d'aide aux personnes souffrant d'anorexie nerveuse et de boulimie) : 114, avenue Donegani, Pointe-Claire, Québec H9R 2W3
  Tél. : 514-630-0907 / 1-800-630-0907
  Téléc. : 514-630-1225
  www.anebquebec.com
- **EKI-LIB SANTÉ CÔTE-NORD**
  Organisme à but non lucratif qui vient en aide aux personnes souffrant de troubles alimentaires et à leurs proches. Les services offerts comprennent une ligne d'écoute, la formation de groupes de soutien, des soirées conférence, des ateliers thématiques, des soirées de partage et un centre de documentation mis à la disposition des usagers.
  http://pages.globetrotter.net/eki_lib/
- **ÉQUILIBRE - Groupe d'action sur le poids**
  Organisme communautaire qui vient en aide aux personnes préoccupées par leur poids. Aucune référence médicale n'est nécessaire. Des frais sont exigés selon le service utilisé. Les services sont ouverts à tous. www.equilibre.ca

- **MAISON DE TRANSITION L'ÉCLAIRCIE**

  Organisme communautaire qui vient en aide aux personnes souffrant d'un trouble alimentaire et à leurs proches. Il offre divers groupes et une ligne d'écoute et de références. www.maisoneclaircie.qc.ca

- **NATIONAL EATING DISORDER INFORMATION CENTRE (NEDIC)**

  Organisme communautaire qui offre des références et de l'information pour les personnes touchées par les troubles de l'alimentation ou les insatisfactions corporelles. www.nedic.ca

- **OUTREMANGEURS ANONYMES/OVEREATERS ANONYMOUS (OA)**

  Association d'hommes et de femmes qui partagent leur expérience, leur force et leur espoir dans le but de se rétablir de la compulsion alimentaire. Aucune référence médicale n'est nécessaire. www.outremangeurs.org

ORDRE DES PSYCHOLOGUES DU QUÉBEC

Pour ceux qui souhaitent consulter un psychologue en pratique privée, l'Ordre des psychologues du Québec offre un service de référence vous permettant de trouver un psychologue en fonction de son domaine d'expertise et de la région où il pratique. Le site Internet est également très intéressant et vous informe sur les différentes approches en psychologie.

Le service de référence téléphonique est ouvert du lundi au vendredi, de 8 h 30 à 16 h 30

- 514 738-1223
- 1 800 561-1223
- www.ordrepsy.qc.ca

CLINIQUES UNIVERSITAIRES DE SERVICES PSYCHOLOGIQUES

Peu de gens connaissent cette forme de service... Les cliniques universitaires de services psychologiques peuvent vous venir en aide car elles offrent des services d'évaluation psychologique et de thérapie à prix modique. Les services sont offerts par des étudiants au doctorat en psychologie qui sont en stage. Ils sont supervisés étroitement par des psychologues d'expérience. Les étudiants font souvent preuve d'un grand professionnalisme et feront beaucoup d'efforts pour vous aider, d'une part parce qu'ils sont évalués à la fin de leur stage, et d'autre part parce qu'ils sont jeunes et ils ont le feu sacré de la profession... ils ont hâte de mettre en pratique ce qu'ils apprennent depuis plusieurs années sur les bancs d'école!

Centre de services psychologiques de l'Université du Québec à Montréal :
- 514 987-0253
- http://www.psycho.uqam.ca/D_CSP/CSP.html

Clinique universitaire de psychologie de l'Université de Montréal :
- 514 343-7725
- http://www.psy.umontreal.ca/dept/service.html

Service d'orientation et de consultation psychologique de l'Université de Montréal :
- 514 343-6853
- www.socp.umontreal.ca

Service de consultation de l'École de Psychologie de l'Université Laval
- 418 656-5460
- http://www.psy.ulaval.ca/SCEP.html

Clinique universitaire de psychologie de l'Université du Québec à Chicoutimi
- 418 545-5024
- http://www.uqac.ca/administration_services/cup/index.php

Centre universitaire de services psychologiques de l'Université du Québec à Trois-Rivières
- 819 376-5088
- https://oraprdnt.uqtr.uquebec.ca/pls/public/gscw031?owa_no_site=134&owa_no_fiche=1&owa_apercu=N&owa_bottin=&owa_no_fiche_dev_ajout=-1&owa_no_fiche_dev_suppr=-1

Centre d'intervention psychologique de l'Université de Sherbrooke (pour 18 ans et plus seulement)
- 819 821-8000 (poste 3191)
- http://www.usherbrooke.ca/psychologie/cipus/cipus.html

Centre de services psychologiques de l'Université d'Ottawa
- 613 562-5289
- http://www.socialsciences.uottawa.ca/psy/fra/csp.asp

ORDRE PROFESSIONNEL DES DIÉTÉTISTES DU QUÉBEC

Pour ceux qui souhaitent consulter un diététiste ou un nutritionniste en pratique privée, l'Ordre professionnel des diététistes du Québec offre un service de référence vous permettant de trouver un professionnel en fonction de son domaine d'expertise et de la région où il pratique.

2155, rue Guy, bureau 1220

Montréal (Québec) H3H 2R9

Tél. : (514) 393-3733

Téléc. : (514) 393-3582

Sans frais : 1-(888) 393-8528

http://www.opdq.org/

FONDS D'ESTIME DE SOI DOVE

Le fonds d'estime de soi Dove a été créé dans le but d'apporter un changement réel à la façon dont les femmes et les jeunes filles perçoivent la beauté et l'acceptent. L'objectif est de contribuer à nous libérer des stéréotypes de beauté et à en libérer la prochaine génération de femmes. Le Fonds développe et distribue des ressources qui permettent aux femmes et aux jeunes filles d'adopter une définition plus large de la beauté. Le Fonds fournit des ressources nécessaires aux organisations qui favorisent une définition plus large de la beauté (telles que le NEDIC et l'ANEB, au Canada).

http://www.initiativevraiebeaute.ca/dsef/temp1.asp?id=4738

Références

American Psychiatric Association, (1994), "Diagnostic and Statistical Manual of Mental Disorders". Washington, DC : American Psychiatric Association.

Cash, T.F., (1997), "The body image workbook: An 8-Step Program For Learning to Like Your Looks". Oakland, CA: New Harbinger Publications.

Cash, T.F., (2002), "Cognitive-Behavioral Perspectives on Body Image". Dans Cash, T. F. & Pruzinsky, T. *Body Image: A Handbook of Theory, Research, and Clinical Practice*. New York, The Guilford Press, p. 38-46.

Corson, P. T., and Adersen, A. E., (2002), "Body Image Issues Among Boys and Men". Dans Cash, T. F. & Pruzinsky, T. *Body Image: A Handbook of Theory, Research, and Clinical Practice*. New York, The Guilford Press, p. 192-199.

Jackson, L. A., (2002), "Physical Attractiveness: A Sociocultural Perspective". Dans Cash, T. F. & Pruzinsky, T. *Body Image: A Handbook of Theory, Research, and Clinical Practice*. New York, The Guilford Press, p. 13-21.

Kearney-Cooke, A. (2002), "Familial Influences on Body Image Development". Dans Cash, T. F. & Pruzinsky, T. *Body Image: A Handbook of Theory, Research, and Clinical Practice*. New York, The Guilford Press, p. 99-107.

Lerner, R. M. and Jovanovic, J. (1990). "The Role of Body Image in Psychosocial development across the life span: A developmental contextual perspective." In Cash, T.F. & Pruzinsky, T. *Body images: Development, deviance and Change*. New York, The Guilford Press, p. 110-127.

Levine, M. P., and Smolak, L., (2002). "Body Image Development in Adolescence". Dans Cash, T. F. & Pruzinsky, T *Body Image: A Handbook of Theory, Research, and Clinical Practice*. New York, The Guilford Press, p. 74-82.

McVey, G., Pepler, D., Davis, R., Flett, G., and Abdolell, M. (2002). "Risk and protective factors associated with disordered eating during early adolescence". *Journal of Early Adolescence*, 22, 76-96.

Smolak, L. (2002). "Body Image Development in Children". Dans Cash, T. F. & Pruzinsky, T. *Body Image: A Handbook of Theory, Research, and Clinical Practice*. New York, The Guilford Press, p. 65-73.

Catalogage avant publication de Bibliothèque et Archives nationales du Québec et Bibliothèque et Archives Canada

GAGNIER, NADIA, 1973 - Miroir, miroir... je n'aime pas mon corps! : le développement de l'image corporelle chez les enfants, les adolescents et les adultes

(Vive la vie... en famille; v. 4)
Comprend un index.

ISBN 978-2-923194-52-3

1. Image du corps. 2. Image du corps chez l'enfant. 3. Image du corps chez l'adolescent. 4. Image du corps, Troubles de l'. I. Titre.

BF697.5.B63G33 2007   306.4'613   C2007-941568-7

Les Éditions La Presse

Auteure
Nadia Gagnier, Ph.D.,
psychologue

Illustrations
Nancy Bélanger

Révision
Karine Bilodeau

Conception graphique
Ose Design

Infographie
Ose Design

Président
André Provencher

Directeur de l'édition
Martin Rochette

Éditrice déléguée
Martine Pelletier

Dépôt légal – Bibliothèque et Archives nationales du Québec, 2007

Dépôt légal – Bibliothèque et Archives Canada 2007-10-01 4ᵉ trimestre 2007

ISBN 978-2-923194-52-3
Imprimé et relié au Québec

Les Éditions
LA PRESSE

Les Éditions La Presse
7, rue Saint-Jacques
Montréal (Québec)
H2Y 1K9

1 800 361-7755

Nous reconnaissons l'aide financière du gouvernement du Canada par l'entremise du Programme d'aide au développement de l'industrie de l'édition (PADIÉ) pour nos activités d'édition.

Les Éditions La Presse remercie le gouvernement du Québec de l'aide financière accordée à l'édition de cet ouvrage par l'entremise du Programme de crédit d'impôt pour l'édition de livres, administré par la SODEC.

Les Éditions La Presse remercie la Société de développement des entreprises culturelles (SODEC) pour son aide financière dans le cadre de ses activités d'édition.

Vive
la vie...
EN FAMILLE